INTOLERÂNCIA RELIGIOSA

CB074622

FEMINISMOS
PLURAIS
COORDENAÇÃO
DJAMILA **RIBEIRO**

SIDNEI
NOGUEIRA

INTOLERÂNCIA RELIGIOSA

FEMINISMOS
PLURAIS

COORDENAÇÃO
DJAMILA **RIBEIRO**

SIDNEI
NOGUEIRA

SUELI
CARNEIRO   janda'ira

SÃO PAULO | 2020
1ª REIMPRESSÃO

Copyright © 2020 Sidnei Barreto Nogueira

Todos os direitos reservados à Editora Jandaíra, uma marca da Pólen Produção Editorial Ldta., e protegidos pela lei 9.610, de 19.2.1998. É proibida a reprodução total ou parcial sem a expressa anuência da editora.

Este livro foi revisado segundo o Novo Acordo Ortográfico da Língua Portuguesa.

Direção editorial
Lizandra Magon de Almeida

Coordenação editorial
Luana Balthazar

Revisão
Flavia Midori

Projeto gráfico e diagramação
Daniel Mantovani

Foto de capa
Roger Cipó

Dados Internacionais de Catalogação na Publicação (CIP)
Angélica Ilacqua CRB-8/7057

Nogueira, Sidnei

   Intolerância religiosa / Sidnei Nogueira. -- São Paulo : Sueli Carneiro ;
Editora Jandaíra 2020.

   160 p. (Feminismos Plurais / coordenação de Djamila Ribeiro)

Bibliografia

ISBN 978-65-87113-05-0

1. Intolerância religiosa 2. Liberdade religiosa 3. Religiões afro-brasileiras
- Preconceito I. Título II. Ribeiro, Djamila III. Série

20-1915   CDD 342.0852

Índices para catálogo sistemático: 1. Liberdade e intolerância religiosa

jandaíra

www.editorajandaira.com.br
atendimento@editorajandaira.com.br
(11) 3062-7909

A verdade não tem pressa.
Eji-Ogbe [Corpus Literário de Ifá]

A Joesia de Oyá, Iyalorixá Joesia Teles, minha mãe, minha origem, minha professora, minha mentora, minha morada, meu exemplo, meu início, minha história. Por ser minha primeira morada no Ayê, eu agradeço. Agradeço por ser o vento que me permitiu fluir.

A Plácido de Ogun, meu pai, minha origem, meu grande exemplo, meu caminho, minha lâmina afiada para multiplicar a vida, meu equilíbrio e meu alicerce. Por ser uma das pontas da minha encruzilhada, eu agradeço. Agradeço por me permitir continuar.

AGRADECIMENTOS

A Xangô, aquele que imortaliza o som no ar, senhor da justiça, da verdade, aquele que come na gamela e senta-se sobre o pilão emborcado. Pela sua grandiosidade que me habita, eu agradeço.
A Oxóssi, pelo reencontro e pela generosidade de Pai Rodney e da irmã Djamila, pelas lutas, pela representatividade, pela intervenção coletiva, por partilharem comigo um projeto tão grandioso e relevante. Atendendo a lógica do afrossentido:
"Quando um chega, todos chegamos."

A minha família,
Aos meus irmãos: Egbon Daniel de Ogun,
Ogã André de Ogun e Iyalaxé Vanessa de Iyemojá,
Aos meus sobrinhos: Gabriel de Xangô e
Matheus de Oxóssi,
A Ele, irmão, amigo e parceiro, professor
Alexandre de Xangô,
À família CCRIAS, a cada um e a cada uma que fazem do projeto de Xangô o seu,
Ao Bruno Tardelli de Oxogiyan, porque Oxalá é o ar e é isso que ele faz. Pela oxigenação, pela oportunidade, pela possibilidade e pelas trocas. A dupé pupo!

Um agradecimento especial ao leitor crítico e revisor desta obra, ao meu filho, professor Tadeu Mourão de Obaluayê. Sem ele e seu olhar ensolarado, sugestões e provocações, esta obra não seria possível.

SUMÁRIO

APRESENTAÇÃO 15

INTRODUÇÃO 21

CAMINHOS DA HISTÓRIA DA INTOLERÂNCIA RELIGIOSA 33

ESTIGMA E ETNOCENTRISMO HISTÓRICOS 41

O VÉU DA INTOLERÂNCIA: O QUE O VÉU COBRE? 51

FACES DA (IN-)TOLERÂNCIA NO SÉCULO XXI 57

A INTOLERÂNCIA RELIGIOSA NO MUNDO 59

RUMOS DA INTOLERÂNCIA E DO APAGAMENTO RELIGIOSO PRETO E ESTIGMATIZADO
NO BRASIL: DA NEGAÇÃO À INEXISTÊNCIA 66

A VERDADE SOBRE A INTOLERÂNCIA RELIGIOSA É BRANCA: MAIS UM DOS TENTÁCULOS
DO RACISMO 81

SABERES E SENTIDOS ANCESTRAIS DA SACRALIZAÇÃO ANIMAL NAS CTTRO 97

UMA CARNE PLENA DE AXÉ: INICIA-SE A IMOLAÇÃO 104

O FECHAMENTO DA PRIMEIRA PARTE DO RITUAL: SASÁNYÌN, O CANTO DAS FOLHAS 110

O ÌYANLÉ: NO CANDOMBLÉ NADA É DESPERDIÇADO 111

ÌPADÉ: O GRANDE ENCONTRO 113

O LÉHÌN: A COMIDA SAGRADA PASSA PELO NOSSO CORPO 114

DA PERSEGUIÇÃO À CURA: EPISTEMOLOGIA NEGRA COMO POSSIBILIDADE DE DESCONSTRUÇÃO
DO RACISMO RELIGIOSO 117

COSMOSSENTIDOS, ALTERIDADE E EXPANSÃO: A ÉTICA DO CANDOMBLÉ COMO CURA 126

NOTAS 137

REFERÊNCIAS BIBLIGRÁFICAS 149

Quem é que não se lembra
Daquele grito que parecia trovão?!
– É que ontem
soltei meu grito de revolta.
Meu grito de revolta ecoou pelos
vales mais
longínquos da Terra,
Atravessou os mares e os oceanos,
Transpôs os Himalaias de todo o Mundo,
Não respeitou fronteiras
E fez vibrar meu peito…
Meu grito de revolta fez vibrar os peitos
de todos os Homens,
Confraternizou todos os Homens
E transformou a Vida…
… Ah! O meu grito de revolta que
percorreu o
Mundo,
Que não transpôs o Mundo,
O Mundo que sou eu!
Ah! O meu grito de revolta que feneceu lá longe,
Muito longe,
Na minha garganta!

Amílcar Cabral, "Emergência da poesia",
em *Amílcar Cabral: 30 poemas*

APRESENTAÇÃO

FEMINISMOS PLURAIS

O objetivo da coleção Feminismos Plurais é trazer para o grande público questões importantes referentes aos mais diversos feminismos de forma didática e acessível. Por essa razão, propus a organização – uma vez que sou mestre em Filosofia e feminista – de uma série de livros imprescindíveis quando pensamos em produções intelectuais de grupos historicamente marginalizados: esses grupos como sujeitos políticos.

Escolhemos começar com o feminismo negro para explicitar os principais conceitos e definitivamente romper com a ideia de que não se está discutindo projetos. Ainda é muito comum se dizer que o feminismo negro traz cisões ou separações, quando é justamente o contrário. Ao nomear as opressões de raça, classe e gênero, entende-se a necessidade de não hierarquizar opressões, de não criar, como diz Angela Davis, em *Mulheres negras na construção de uma nova utopia*, "primazia de uma opressão em relação a outras". Pensar em feminismo negro é justamente romper com a cisão criada numa sociedade desigual. Logo, é pensar projetos, novos marcos civilizatórios, para que vislumbremos um novo modelo de sociedade. Fora isso, é também divulgar a produção intelectual de mulheres negras, colocando-as na condição de sujeitos e seres ativos que, historicamente, vêm fazendo resistência e reexistências.

Entendendo a linguagem como mecanismo de manutenção de poder, um dos objetivos da coleção é o compromisso com uma linguagem didática, atenta a um léxico que dê conta de pensar nossas produções e articulações políticas, de modo que seja acessível, como nos ensinam muitas feministas negras. Isso de forma alguma é ser palatável, pois as produções de feministas negras unem uma preocupação que vincula a sofisticação intelectual com a prática política.

Neste oitavo volume da coleção Feminismos Plurais, o doutor em Linguística e babalorixá Sidnei Barreto Nogueira apresenta um histórico da intolerância religiosa no Brasil, desde a chegada dos portugueses e dos jesuítas até a ascensão das religiões evangélicas atuais dentro de um projeto de poder conservador hoje em conflito com as forças democráticas. Ele também analisa a linguagem da intolerância – as expressões e maneiras de falar que explicitam o preconceito e revelam a estigmatização presente no discurso, atualmente em oposição principalmente às religiões tradicionais de matriz africana.

Com volumes a um preço acessível, nosso objetivo é contribuir para a disseminação dessas produções. Para além deste título, abordamos também temas como encarceramento, racismo estrutural, branquitude, lesbiandades, mulheres indígenas e caribenhas, transexualidade, afetividade, interseccionalidade, empoderamento, masculinidades.

É importante pontuar que essa coleção é organizada e escrita por mulheres negras e indígenas, e homens negros de regiões diversas do país, mostrando a importância de pautarmos como sujeitos as questões que são essenciais para o rompimento da narrativa dominante e não sermos tão somente capítulos em compêndios que ainda pensam a questão racial como recorte.

Grada Kilomba, em *Plantations Memories: Episodes of Everyday Racism*, diz:

> Esse livro pode ser concebido como um modo de "tornar-se um sujeito" porque nesses escritos eu procuro trazer à tona a realidade do racismo diário contado por mulheres negras baseado em suas subjetividades e próprias percepções. (KILOMBA, 2012, p. 12)

Sem termos a audácia de nos compararmos com o empreendimento de Kilomba, é o que também pretendemos com essa coleção. Aqui estamos falando "em nosso nome".

Djamila Ribeiro

INTRODUÇÃO

Dedico esta obra a todos os pais-de-santo e mães-de-santo do Brasil porque eles, mais que qualquer pessoa, merecem e precisam de um **esclarecimento**. São sacerdotes de cultos como umbanda, quimbanda e candomblé, os quais estão, na maioria dos casos, bem-intencionados. Poderão usar seus dons de liderança ou de sacerdócio **corretamente**, se forem **instruídos**. Muitos deles hoje são obreiros ou pastores das nossas igrejas, mas não o seriam, se Deus não **levantasse** alguém que lhes dissesse a verdade. (MACEDO, 1988, p. 5, grifos nossos)

O trecho em epígrafe é parte da introdução do livro *Orixás, caboclos e guias: deuses ou demônios?*, do bispo Edir Macedo. O autor "dedica" a obra aos pais e mães de santo, líderes espirituais das Comunidades Tradicionais de Terreiro (CTTro)[1] no Brasil. Segundo o autor, esses sacerdotes precisam, apesar de bem-intencionados, de **esclarecimento** e de **instrução**. Acrescenta ainda que muitos deles hoje são pastores e obreiros nas igrejas do bispo. De acordo com o autor (1988), se Deus não **levantasse** alguém que lhes dissesse a verdade, ainda seriam pais e mães de santo.

Ao leitor desavisado e aos seguidores de Macedo, o excerto e todo o livro apresentam-se preenchidos semanticamente de boa intenção. O mote é a salvação cristã, e obviamente o bispo e sua igreja se colocam na posição de heróis salvadores. As verdades únicas, ao longo da história, têm servido para dizer o que separa o certo e o errado, julgar e condenar, e o livro é uma evidente condenação racista de todas as práticas de origem africana no Brasil.

As palavras "instrução", "esclarecimento" e "levantasse" remetem a uma necessidade de higienização das coisas pretas. *Instrução* se opõe a ausência de conhecimento e a amadorismo, ausência de formação, de escola – certamente a escola europeia. *Esclarecimento*, como diz a própria unidade lexical, quer clarear a atuação de pais e mães de santo dedicados às práticas escuras, pretas, denegridas. E, quando o autor, na condição de representante legal de um Deus único – o Deus dele, forjado por ele e para servir a suas intenções –, diz que seu Deus *levantou* alguém para que dissesse a verdade aos mentirosos e aos que estão abaixados, assume um discurso etnocêntrico e marcado por autoritarismo e racismo.

Nesse sentido, a dedicatória do livro do bispo não é uma homenagem, uma louvação orgulhosa, um reconhecimento ao papel das tradições africanas na formação da identidade nacional. O livro é mais um projeto de conversão em massa e sabemos que conversão em massa somente pode ser consolidada por meio da eleição de um antissujeito, um inimigo, um vilão, um demônio, um grande mal imaginário que se responsabilize por todos os males na vida das pessoas.

O tom é, a um só tempo, racista, etnocêntrico e arrogante. Alguém de fora da nossa realidade, alguém que não concorda com as nossas práticas, alguém que, embora nos veja como bem-intencionados [sic], decide nos instruir porque nos falta instrução.

Agora, aquele que quer dizimar pretos e pretas e todos os praticantes de CTTro e nos colocar em uma posição satânica irá nos instruir. Aquele que segura a chibata assume o papel de nosso educador e cabe a ele, em nome de um deus também criado por ele, fazer com que vejamos a verdade "dele".

O livro é de 1988, que foi também quando teve início a perseguição mais acirrada às CTTro. Trata-se da retomada de um processo de satanização secular, agora executado de modo institucional e midiatizado pelos principais segmentos neopentecostais[2] do país.

Uma CTTro é um espaço quilombola que mantém saberes ancestrais de origem africana que são parte da identidade nacional. Um espaço de existência, resistência e (re-)existência. Um espaço político. Território de deuses e entidades espirituais pretas, por meio dos quais se busca a prática de uma religiosidade, a um só tempo terapêutica e sócio-histórico-cultural, que se volta para o continente africano, berço do mundo no Novo Mundo.

Desde 1977, quando a primeira Igreja Universal do Reino de Deus (IURD) foi fundada no Rio de Janeiro, a perseguição às tradições de origem preta – Umbanda, Quimbanda, Candomblé e afins – se agravou e, como veremos ao longo desta obra, criou uma espécie de espetáculo violento contra tudo que, aparentemente, for identitária, filosófica e liturgicamente relacionado às influências africanas no Brasil.

Forças políticas aliaram-se à demonização das CTTro, um projeto de poder fortaleceu-se e a intolerância religiosa tornou-se igualmente esse lugar de pseudo-heróis salvadores do Brasil contra vilões responsáveis por todos os males da sociedade e da alma humana. O proselitismo religioso e eleitoral misturou-se de modo que não se sabe mais o que é religião e o que é política. Com isso, foi ao lixo, do mesmo modo, a suposta laicidade prevista em nossa Carta Magna.

De um lado, a Constituição de 1988 garante expressamente em seu artigo 5°, tanto no *caput* quanto no inciso VI, a liberdade de crença não apenas como o direito de acreditar no que lhe convier, mas também numa perspectiva de que cada indivíduo pode professar a sua fé e ela será protegida, dentro dos parâmetros legais, por meio da proteção aos templos e cultos que dela emanarem.

25

Título II - Dos Direitos e Garantias Fundamentais

Capítulo I - Dos Direitos e Deveres Individuais e Coletivos

Art. 5º Todos são iguais perante a lei, sem distinção de qualquer natureza, garantindo-se aos brasileiros e aos estrangeiros residentes no País a inviolabilidade do direito à vida, à liberdade, à igualdade, à segurança e à propriedade, nos termos seguintes:

I - homens e mulheres são iguais em direitos e obrigações, nos termos desta Constituição;

II - ninguém será obrigado a fazer ou deixar de fazer alguma coisa senão em virtude de lei;

III - ninguém será submetido a tortura nem a tratamento desumano ou degradante;

IV - é livre a manifestação do pensamento, sendo vedado o anonimato;

V - é assegurado o direito de resposta, proporcional ao agravo, além da indenização por dano material, moral ou à imagem;

VI - é inviolável a liberdade de consciência e de crença, sendo assegurado o livre exercício dos cultos religiosos e garantida, na forma da lei, a proteção aos locais de culto e a suas liturgias. [...] (BRASIL, 1988)

De outro lado, porém, o que temos visto é a imposição por meio da criação de um inimigo comum sempre associado às tradições de origem africana no Brasil. Isso não começou ontem, mas não foi uma regra ao longo da nossa história. Essa liberdade que já constava na Declaração dos Direitos do Homem e do Cidadão (1789) não existia nas primeiras leis ordinárias e constituições nacionais. Ao contrário, ao longo de boa parte da nossa história, a lei foi utilizada como ferramenta de desigualdade e opressão contra povos trazidos para a colônia na condição de escravos e se voltaria contra uma das principais manifestações culturais do país: o Candomblé.

A estrutura normativa, contudo, foi apenas um reflexo do olhar que a sociedade lançava para as religiões de matriz africana – uma realidade que se mantém até os dias atuais e é vista de modo explícito dentro do ambiente de trabalho. Neste, o hipossuficiente econômico muitas vezes se encontra em uma situação de vulnerabilidade diante do poder diretivo do patrão ou sob a influência de outro empregado, que se utiliza disso para transformar o ambiente de trabalho – normativamente, um centro ecumênico – em um local de forçosa aderência ou negação de determinada religião ou modo de manifestá-la.

Está posto que, de modo geral, a cristianização da sociedade é mais do que um movimento de fé. Trata-se efetivamente de um projeto de poder.

Desde a Assembleia Constituinte de 1988, grupos evangélicos formais passaram a lutar por concessões públicas de estações de rádio e canais de TV e criar grupos de comunicação. Assembleia de Deus, Rede Renascer em Cristo, entre outros grupos cristãos, cada uma dessas denominações busca, desde então, concessões de rádio e TV por meio de representes no Congresso e desenvolve sua estratégia de comunicação.

Silas Malafaia, por exemplo, vem da Assembleia de Deus e depois funda sua empresa de comunicação. Francisco Silva, padrinho político de Eduardo Cunha, faz o oposto: vem da comunicação e vai para a igreja.

A atual Frente Parlamentar Evangélica, ou Bancada Evangélica, que atualmente é composta por 87 deputados federais e três senadores, num total de 90 parlamentares, já existia em 1987 e contava, à época, com 33 deputados.

As concessões de rádio e TV tornam-se moeda de troca política. A estratégia sempre foi ocupar diversos partidos a fim de assegurar vagas em várias comissões no Congresso, para barrar agendas na Comissão de Seguridade Social e Família e garantir as concessões públicas de meios de comunicação na Comissão de Comunicação.

Nesse sentido, a representação política desse grupo evangélico específico, neopentecostal sobretudo, garantia as concessões públicas aos grupos que já haviam montado estruturas de comunicação, empresas que não são de "fundo de quintal".

Essa força econômica, política e midiática, essa capacidade de difundir a mensagem, se mostra eficaz para expandir o número de fiéis, além de ser um sistema que se retroalimenta. Ser evangélico vem se tornando um valor eleitoral cada vez mais forte.

É quase impensável uma repartição pública sem uma bíblia e um crucifixo. Ao chegar a uma delegacia, fórum, hospital, presídio, escola e demais repartições públicas, é quase impossível não ser recebido por um símbolo cristão, a dizer que o Estado não é laico e que você precisa se submeter a uma fé hegemônica.

Hoje, ao entrar em cidades como Paraty, Mauá, Sorocaba, entre outras pelo Brasil afora, você encontrará a normatização de um movimento "cristãocêntrico" fortalecido por meio de frases de conversão de massa e exclusão de religiões tidas como inferiores e menores. "Jesus Cristo é o senhor de Mauá", "Paraty pertence a Jesus" e "Sorocaba é do senhor Jesus Cristo" são alguns dos exemplos de um movimento absolutamente etnocêntrico e da promiscuidade entre o público e o privado-religioso.

TABELA 1. A NORMATIZAÇÃO DA "CRISTÃOCRACIA" NAS PLACAS DE RECEPÇÃO EM DIFERENTES CIDADES

Cidade	Frase de recepção na entrada da cidade	Ano aproximado de instalação da placa
Mauá (SP)	Jesus Cristo é o senhor de Mauá!	2016
Sorocaba (SP)	Sorocaba é do senhor Jesus Cristo.	2012
Nova Iguaçu (RJ)	Bem-vindo a Nova Iguaçu. Esta cidade pertence ao senhor Jesus.	2018
Carapicuíba (SP)	Carapicuíba é do senhor Jesus.	2012

Tudo isso tem sido normatizado e recebido pela massa de modo acrítico. Naturalmente, os supostamente cristãos, mesmo que não praticantes e apenas de nome fantasia, sentem-se contemplados e representados por um poder político que usa o nome de Cristo apenas como propaganda eleitoral. Nessa relação, o que vemos é uma construção simbólica e ilusória que parece ser real, mas não passa de um processo semiótico de criação de uma realidade que funciona como anestésico para problemas também potencializados pelo pecado, pela culpa e pelo medo cristãos.

Com toda essa malha social "cristãocêntrica", em um país constitucionalmente laico, esse movimento fortalece ou auxilia a manutenção da perseguição e do extermínio daquele que não se submete a tal estrutura?

A pergunta que não quer calar é: a promiscuidade entre fé (cristã-evangélica), política, Estado e proselitismo está a serviço de quem e de quê? Quem tem efetivamente se beneficiado desse proselitismo eleitoral?

CAMINHOS DA HISTÓRIA DA INTOLERÂNCIA RELIGIOSA

A intolerância está na raiz das grandes tragédias mundiais. Foi ela que destruiu as culturas pré-colombianas e promoveu a inquisição e a caça às bruxas. Foi a intolerância religiosa que levou católicos e protestantes a se matarem mutuamente na Europa, ou hindus e muçulmanos a fazerem o mesmo na Índia. Foi a intolerância que levou países a construírem um sistema de apartheid ou a organizarem campos de concentração. Por trás de cada manifestação de barbárie que a humanidade teve a infelicidade de assistir e testemunhar, o que redundou em numerosos massacres e extermínios, esconde-se a intolerância como arquétipo e estrutura fundante. (GUIMARÃES, 2004, p. 28)

É possível afirmar que a intolerância religiosa não é algo recente na história da humanidade e muito menos na história do Brasil. Todavia, suas formas de manifestação têm sido modificadas de acordo com a organização política, cultural e econômica de cada sociedade em determinado tempo e espaço.

O preconceito, a discriminação, a intolerância e, no caso das tradições culturais e religiosas de origem africana, o racismo se caracterizam pelas formas perversas de julgamentos que estigmatizam um grupo e exaltam outro, valorizam e conferem prestígio e hegemonia a um determinado "eu" em detrimento de "outrem", sustentados pela ignorância, pelo moralismo, pelo conservadorismo e, atualmente, pelo poder político – os quais culminam em ações prejudiciais e até certo ponto criminosas contra um grupo de pessoas com uma crença considerada não hegemônica.

No cerne da noção de intolerância religiosa, está a necessidade de estigmatizar para fazer oposição entre o que é normal, regular, padrão, e o que é anormal, irregular, não padrão. Estigmatizar é um exercício de poder sobre o outro. Estigmatiza-se para excluir, segregar, apagar, silenciar e apartar do grupo considerado normal e de prestígio.

Vale destacar que estigma, para Ainlay, Becker e Colman (1986), é uma construção social, em que os atributos particulares que desqualificam as pessoas variam de acordo com os períodos históricos e a cultura, não lhes propiciando uma aceitação plena social. Desse modo, as pessoas são estigmatizadas somente em certo contexto, o qual envolve a cultura, os acontecimentos históricos, políticos e econômicos e uma dada situação social, ou seja, a estigmatização não é uma propriedade individual. Em comparação, para Goffman (2013), os normais e os estigmatizados não são pessoas em si, mas perspectivas constituídas pelo meio social, o qual categoriza e coloca atributos considerados naturais e comuns para os membros de cada categoria.

Atualmente, o que se tem chamado de intolerância religiosa está no seio de um processo de colonização do país. Esse processo tem deixado marcas profundas em uma ideia também ilusória de democracia religiosa e laicidade.

A verdade é que o Brasil, como sociedade ocidental, não nasceu como uma democracia religiosa. Não é necessário que se vá muito longe na história do nosso país para entender que a intolerância religiosa e a farsa da laicidade têm como origem o colonialismo. Desde a invasão pelos portugueses, a religião cristã foi usada como forma de conquista, dominação e doutrinação, sendo a base dos projetos políticos dos colonizadores. Shigunov Neto e Maciel (2008) reforçam, por meio de narrativas históricas, o apagamento de qualquer crença que não fosse a imposta por Portugal.

Ainda segundo estes autores (2008), para que o projeto de colonização das terras brasileiras fosse bem-sucedido, a Coroa portuguesa contou com a colaboração da Companhia de Jesus. Segundo Leite (1965), Azevedo (1976) e Ribeiro (1998), a principal intenção do rei D. João III[3], ao enviar os jesuítas para a Colônia – tal ideia e conselho foram do padre jesuíta

Diogo de Gouveia[4] –, foi de converter o índio à fé católica por intermédio da catequese e do ensino da leitura e da escrita em português.

A Ordem dos Jesuítas é produto de um interesse mútuo entre a Coroa de Portugal e o Papado. Ela era útil à Igreja e ao Estado emergente. Os dois pretendiam expandir o mundo, defender novas fronteiras, somar forças, integrar interesses leigos e cristãos, organizar o trabalho no Novo Mundo pela força da unidade lei-rei-fé (RAYMUNDO, 1998, p. 43).

É importante destacar que a tríade lei-rei-fé especificamente se referia à lei de Portugal, ao rei de Portugal e à fé-religião católica apostólica romana. Desde então, o que vemos é o apagamento e o silenciamento das crenças originárias e, mais adiante, das crenças de origem africana, ou seja, crenças não eurocêntricas.

Pode-se afirmar que os jesuítas se tornaram uma poderosa e eficiente congregação religiosa, em parte em função de seus princípios fundamentais, que buscavam a perfeição humana por intermédio da palavra de Deus e da vontade dos homens que estavam no poder; a obediência absoluta e sem limites aos superiores; a disciplina severa e rígida; a hierarquia baseada na estrutura militar; e a valorização da aptidão pessoal de seus membros. Somente a palavra de Deus poderia levar o homem à perfeição – uma perfeição determinada pelo domínio dos jesuítas a serviço do rei, da lei e da fé.

Para Raymundo (1998), poderosa e eficiente congregação religiosa cristã teve uma grande expansão nas primeiras décadas de sua formação, constatada pelo crescimento de seus membros, pois, em 1556[5], já contava com mil membros e, em 1606, com aproximadamente 13 mil. A Ordem dos Jesuítas não foi, entretanto, criada apenas para fins educacionais; ademais, parece que no começo não figuravam esses entre os propósitos, que eram antes a confissão, a pregação e a catequização. Seu recurso principal eram os chamados "exercícios espirituais", que exerceram enorme influência anímica e religiosa ente os adultos. Todavia, pouco a pouco a educação ocupou um dos lugares mais importantes, senão o mais importante, entre as atividades da Companhia.

De qualquer modo, a cultura-crença dos indígenas foi totalmente desconsiderada pelas instituições cristãs, uma vez que as tentativas de epistemicídio indígena se mantiveram até hoje, fato evidenciado pelas não raras missões evangelizadoras. Havia uma total negação das crenças indígenas pelos europeus. Padre Manuel da Nóbrega exprimiria de modo explícito o que percebia como a inexistência de sentimentos religiosos e de religião entre os tupis.

> É gente que nenhum conhecimento tem de Deus, nem ídolos e que nenhuma coisa adora, nem conhecem a Deus; somente aos trovões chamam de Tupã, que é como dizer coisa divina. (LEITE, 1955, p. 20)

De acordo com Lourenço (2010), os índios, desvalorizados de várias maneiras (indômitos, impudicos), eram vistos como um "papel em branco" em relação à fé, papel este que poderia ser "escrito" através da catequese. Embora os discursos das religiões dos índios da América portuguesa no século 16 terem sido mais brandos que aqueles sobre os da América hispânica – uma vez que ídolos e sacrifícios realizados pelos índios da América hispânica eram tidos como diabólicos –, não faltariam entre os portugueses referências ao demônio em suas representações sobre os índios: Consideravam quase tudo diabólico nos ameríndios que habitavam o litoral. O paradoxo dessa visão sobre a negação da existência de religiosidade dos povos originários indígenas seria o "profetismo tupi" – espécie de pregação dos pajés que andavam de aldeia em aldeia a falar aos índios possuídos pelos espíritos, o que era entendido por jesuítas e cronistas como feitiçaria e idolatria, contrariando opiniões disseminadas por eles mesmos de que os indígenas não tinham crença alguma.

A expressão "intolerância religiosa" tem sido utilizada para descrever um conjunto de ideologias e atitudes ofensivas a crenças, rituais e práticas religiosas consideradas não hegemônicas. Práticas estas que, somadas à falta de habilidade ou à vontade em reconhecer e respeitar diferentes crenças de terceiros, podem ser consideradas crimes de ódio que ferem a liberdade e a dignidade humanas.

Nesse contexto, a perseguição pode tomar vários rumos, desde incitamento ao ódio até ações mais violentas como torturas e espancamentos. A perseguição não é um problema atual; ocorre há muitos séculos, quando os primeiros cristãos foram perseguidos por judeus e romanos. E, na Idade Média, ao fim do Império Romano, os judeus foram perseguidos, e as conversões forçadas eram comuns em muitas regiões da Europa cristã.

Ainda durante o século 20, a perseguição religiosa atingiu proporções nunca vistas na História. A eugenia, que visava atingir a raça pura, tornou oficial a perseguição em massa dos povos judeus e de outros seres humanos considerados fracos e imperfeitos pelos nazistas, até chegar à fase mais conhecida – o Holocausto – que vitimou milhares de pessoas não apenas pela raça, mas porque eram especificamente contrárias aos ideais religiosos de seus perseguidores.

A violação do princípio da liberdade religiosa produz guerras, mata pessoas, exclui grupos, espalha ódio, separa, condena sem tribunal a alteridade e mantém os "intolerantes" no poder. Trata-se do poder de um discurso que, em verdade, acredita que todos devem ter as mesmas crenças. Talvez para facilitar o controle?

Mas quais são os conceitos, as origens históricas, a compreensão desse fenômeno social por meio da filosofia? É preciso aproximar-se das origens para que se possa compreender o problema. Este capítulo tem como propósito esse universo de compreensão filosófica e histórica.

ESTIGMA E ETNOCENTRISMO HISTÓRICOS

Não nos livraremos facilmente dessas cabeças de homens, dessas orelhas cortadas, dessas casas queimadas, dessas invasões góticas, deste sangue fumegante, dessas cidades que se evaporam pelo fio da espada (CÉSAIRE, 1973).

A recusa na aceitação do outro tal como é está intimamente ligada ao que chamamos de preconceito, ou seja, um conceito prévio sobre uma realidade conhecida apenas de modo superficial.

Todavia, ao contrário do que se pensa sobre o que se convencionou chamar de preconceito, isso não nasce de modo natural. Ninguém é naturalmente preconceituoso. Toda forma de preconceito emerge de uma postura social, histórica e cultural que pretende, a um só tempo, segregar para dominar e, proporcionalmente, determinar e manter um padrão, marcadores de prestígio e de poder. É por isso que atualmente há um uso estratégico de um marcador universal identificado pela sociedade como sinônimo de amor, idoneidade, honestidade, humanidade, caridade, equilíbrio, humildade. Trata-se de um marcador religioso que também exclui as outras religiões, pois esse traço semântico-cultural, no inconsciente coletivo das pessoas, diz respeito apenas às religiões que se servem da bíblia e de sua interpretação etnocêntrica – feita por padres, bispos e pastores e seus interesses pessoais – como perfeita e ideal para conduzir a vida de todos os seres humanos. A ideia central desse projeto de poder volta-se para o paraíso cristão e, nesse sentido, tudo o que estiver fora desse campo semântico deve ser estigmatizado.

Segundo Carvalho (1997), o etnocentrismo consiste em privilegiar um universo de representações socioculturais tomando-o como modelo e reduzindo à insignificância os demais universos e culturas "diferentes". De fato, trata-se de um conjunto de violências que, historicamente, não só se concretizou por meio da violência física contida nas diversas formas de colonialismo, mas, disfarçadamente, por meio do que Pierre Bourdieu chama de "violência simbólica", ou seja, o "colonialismo cognitivo" na antropologia de De Martino[6].

Privilegia-se um referencial teórico-prático que segue o "padrão da racionalidade técnica", segundo Lévi-Strauss[7], escolhendo-se, assim, o único tipo de cultura e educação com ele compatíveis ("cultura hegemônica" *versus* "culturas subalternas") e declarando-se "outras" as culturas diferentes com orientações incompatíveis com o referencial escolhido; procura-se reduzi-las em suas especificidades e diferenças tornando-as mais diferentes do que são e, a seguir, exorcizando-as por meio de várias estratégias.

Em profundidade, está-se projetando "fora", como Outro e como Sombra, o que é incompatível e perigoso reconhecer que pertença ao universo da cultura padrão escolhida. Nesse sentido, o etnocentrismo consiste na dimensão ético-política da mesma problemática cuja dimensão psicoantropológica envolve a Sombra ou o Inconsciente.

O etnocentrismo origina e tem origem na "heterofobia": o Outro – nas suas mais diversas formas: primitivo, selvagem, louco, imaturo, homossexual, "homens de cor", crianças problemáticas, fascistas, baderneiros, "hippies", "mulheres de vida fácil", hereges etc. – constitui "perigo" que deve ser exterminado (CARVALHO, 1997).

Ninguém negará que o reconhecimento do Outro como seu semelhante ou como um igual sempre foi um problema; renegar o Outro é de certa forma afirmar a própria identidade a partir dessa negação. Por conta da negação da religião e da cultura do Outro, a humanidade assistiu, no decorrer de sua história, a violações frequentes à chamada liberdade religiosa.

Ao se tomar os estudos de Goffman (2013) sobre estigma, pode-se vislumbrar que, na base do preconceito, da discriminação, do racismo, de toda sorte de fobias e da própria "intolerância religiosa", está a necessidade de categorização dos seres humanos com vistas ao reforço do etnocentrismo.

> A sociedade estabelece os meios de categorizar as pessoas e o total de atributos como comuns e naturais para os membros de cada

uma dessas categorias: os ambientes sociais estabelecem as categorias de pessoas que têm probabilidade de serem neles encontradas. As rotinas de relação social em ambientes estabelecidos nos permitem um relacionamento com "outras pessoas" previstas sem atenção ou reflexão particular. Então, quando um estranho nos é apresentado, os primeiros aspectos nos permitem prever a sua categoria e os seus atributos, a sua "identidade social" – para usar um termo melhor do que "status social", já que nele se incluem atributos como "honestidade", da mesma forma que atributos estruturais, como "ocupação". (GOFFMAN, 2013, p. 10)

Estigmatizar sempre foi um exercício comum para a manutenção de poder. Separar a identidade da alteridade, separar o correto do incorreto, o aceitável do inaceitável, o natural do anormal, o branco do preto, o gordo do magro, o sacralizado do profano. Estas ações eram (e ainda são) singularmente mais substanciais nos regimes teocráticos, em que o domínio da fé denota o domínio do poder.

Ao longo da História, existem muitos fatos marcados não só pela religiosidade, mas também pelo ódio e pelo fanatismo (intolerância), que massacraram povos com outras crenças, outros valores, ou seja, outra forma de filosofia de como entender o mundo em que vivem e o início do mundo, bem como o modo de se comportar no meio social. Sempre organizando esses comportamentos de forma a valorizar um em detrimento de outrem.

Segundo Gomes, Campos e Amorim (2009), intolerância religiosa é um termo que descreve a atitude mental caracterizada pela falta de habilidade ou vontade em reconhecer ou respeitar diferenças ou crenças religiosas de outros. Em muitos casos, a intolerância pode resultar em perseguições religiosas que têm sido comuns na nossa história. Perseguições, nesse contexto, podem referir-se a julgamentos parciais, prisões ilegais, espancamentos, torturas, execuções sumárias, negação dos direitos e da liberdade civil.

É possível afirmar que a história humana se encontra repleta de confrontos religiosos. Todavia, se há confrontos, é preciso admitir que as organizações religiosas "participam dos fluxos históricos que configuram povos, territórios e poderes políticos" (PASSOS, 2007, p. 98), ou seja, essas instituições sempre foram uma presença forte e constante cujas ações interferiram nas relações sociais.

Como as instituições religiosas desempenham funções hermenêuticas no interior das culturas, a verdade revelada pela religião adotada por determinada cultura é considerada por seus seguidores uma verdade universal, tornando-se o único princípio, meio e fim de salvação (PASSOS, 2007).

Alguns exemplos de intensa restrição à liberdade religiosa podem ser vislumbrados desde as primeiras codificações da História, originárias das civilizações mesopotâmicas, nas quais qualquer conduta que divergisse da religião oficial cultuada pelo soberano era taxada de "bruxaria", recebendo as mais severas punições. Um exemplo evidente é o dispositivo presente no Código de Hammurabi[8], que traz a seguinte resolução:

> Se um awilum lançou contra um (outro) awilum (uma acusação de) feitiçaria mas não pôde comprovar: aquele contra quem foi lançada (a acusação de) feitiçaria irá ao rio e mergulhará no rio. Se o rio o dominar, seu acusar tomará para si sua casa. Se o rio purificar aquele awilum e ele sair ileso: aquele que lançou sobre ele (a acusação de) feitiçaria será morto e o que mergulhou no rio tomará para si a casa de seu acusador. (BUZZI; BOFF, 1980, p. 25)

Compreende-se, por meio do texto, que a morte nas águas do rio configurava o destino quase certo daqueles que ousassem divergir da religião oficial na Babilônia e, para impedir ainda mais tais condutas, o acusador recebia como incentivo o patrimônio do acusado. Era exercido de forma violenta pelo poder central às práticas religiosas o cerceamento àqueles que pudessem minar a autoridade do rei, baseada na religião, e o poder da classe sacerdotal, que dominava a política. Com a presença de normas que restringiam severamente a liberdade religiosa, dessa forma visando coibir práticas religiosas que fugissem ao controle do poder central, havia uma razão importante para justificar sua existência: a manutenção do poder nas mãos de uma classe social, assim levando consideráveis civilizações, ao longo da História, a perseguir impetuosamente determinadas manifestações religiosas, penalizando seus agentes intensamente através dos séculos, com a finalidade do poder nas mãos das classes dominantes, garantindo seu domínio sobre o resto da população.

E o ciclo de repressão à liberdade religiosa, ao longo de toda a História, e milênios após o *Código de Hammurabi*, se perpetua: aqueles que foram duramente perseguidos por sua crença, ao se unirem ao poder central, passam a propagar perseguições tão ou mais violentas quanto as que sofreram.

Quando o cristianismo surge na Palestina, região que vivia sob o domínio romano desde 64 a.C., graças à sua mensagem redentora, obteve enorme sucesso entre os excluídos da sociedade romana e atraiu cada vez mais seguidores. Os convertidos passavam a renegar as práticas religiosas públicas comuns à cultura romana, como o sacrifício aos deuses. Tal atitude gerava incômodo ao poder político-religioso instituído, sendo um dos motivos da perseguição aos cristãos, visto que a Roma pré-cristã permitia o livre culto doméstico e a liberdade de crença, desde que "não ameaçassem os cultos públicos através de práticas e conhecimentos secretos, e representassem uma alternativa de identidade religiosa" (MENDES; OTERO, 2005, p. 211). Muitas divindades das culturas colonizadas por Roma eram agregadas, pois havia uma crença de que, ao cultuar o ente sagrado da cultura subjugada, tal força divina era apascentada. Para os romanos anteriores à ascensão do cristianismo, as divindades dos estrangeiros eram tão vivas e verdadeiras quanto as deles.

Nas altas esferas de soberania do Império, havia oposição ao militarismo e à estrutura escravocrata, pilares do poderio de Roma. Ao constatar o significativo aumento do número e da influência dos cristãos, o imperador Constantino concede a liberdade de culto à religião. No entanto, só será consolidada com o imperador Teodósio, que, convertido ao cristianismo, o tornou a religião oficial do Império (BLAINEY, 2012). A partir daí, a lógica politeísta ocidental de aceitação da pluralidade de crenças é substituída por uma verdade única, que não aceita a crença em entes divinos e práticas rituais senão as suas.

De vítima, o cristianismo passou a ocupar a posição de algoz. Após desfrutar de posição hegemônica durante séculos, a Igreja Católica tornara-se negligente e mundana em suas atividades. Reinava a simonia, isto é, o abuso do tráfico de dignidades eclesiásticas, e os leigos exerciam uma influência desproporcional na nomeação de dignitários da Igreja (BOLTON, 1983).

Frente ao surgimento de grupos dissidentes (que pregavam a adoção da chamada "vita apostólica") e ao encontro com a ascensão do islamismo, em virtude das Cruzadas, a hegemonia católica viu-se em perigo, e a razoável tolerância a outras práticas religiosas, reinante até então, deu lugar à Inquisição. "Instituição" terrível que, juntando a monstruosidade de seu objetivo, o obscurantismo de suas manifestações e a atrocidade de suas fórmulas, foi o grande algoz das práticas e dos sujeitos que eram repositórios dos saberes tradicionais, herdeiros das práticas do sagrado nativo de diversos povos europeus. Essas pessoas, donas das técnicas e do manejo secular do conhecimento das ervas, de encantamentos e de modos diversos de lidar com o sagrado, passaram a ser demonizadas e forçadas ao epistemicídio de suas heranças cosmológicas ancestrais. Nascida no seio do catolicismo durante o século 13, veio, com o nome de Inquisição ou Santo Ofício, a cobrir de terror, de sangue e de luto quase todos os países da Europa meridional e ainda, transpondo os mares, a oprimir extensas províncias da América e do Oriente (HERCULANO, 1950).

Contando com uma vasta gama de justificativas bíblicas para perseguir e massacrar seus inimigos, a Igreja e os governos católicos passaram a considerar a heresia uma traição, ou seja, um ataque aos alicerces da ordem social, e a perseguição aos hereges tomou conta da Europa. Finalmente, em 1233, o papa Gregório IX edita a bula "Licet ad Capiendos", marco do início oficial do "Sanctum Officium", tribunal que instituiu oficialmente a Inquisição. Editada em 20 de abril de 1233, era dirigida aos padres e frades da Ordem Dominicana, tidos como os mais fervorosos no combate à heresia. Em um dos trechos a bula orientava os inquisidores a serem implacáveis:

> Onde quer que os ocorra pregar estais facultados, se os pecadores persistem em defender a heresia apesar das advertências, a privá-los para sempre de seus benefícios espirituais e proceder contra eles e todos os outros, sem apelação, solicitando em caso necessário a ajuda das autoridades seculares e vencendo sua oposição, se isto for necessário, por meio de censuras eclesiásticas inapeláveis. (Excommunicamus, 1233)

Sob a autoridade da Santa Sé, foram encarregados inicialmente de perseguir os hereges em todos os países da Cristandade. Perseguiram-nos rigidamente durante muitos séculos, sobretudo na Espanha, em Portugal, na França e nos Países Baixos. Nos séculos 11 e 12 a Europa estava se tornando uma teocracia como no passado fora o Egito sob a 18ª dinastia (DECUGIS, 1946).

Trata-se de uma situação em que inúmeras vidas foram sacrificadas por um motivo fútil que é a intolerância, a qual afronta a liberdade religiosa e os direitos humanos. Em face do exposto, essa breve exposição histórica será encerrada com as sábias palavras de Soriano, que afirma:

> As maiores atrocidades da história, incluindo
> conflitos religiosos, ocorreram quando houve
> união entre a Igreja e o Estado. Isso ocorre
> porque o poder temporal aliado ao poder espi-
> ritual resulta em um poder muito grande para
> ser gerado pelos homens. Isso fica claro, por
> exemplo, ao observar as inquisições medievais
> e modernas ou a evolução do constituciona-
> lismo brasileiro, ou mesmo a consagração do
> princípio da separação entre Igreja e Estado,
> na primeira emenda constitucional dos Esta-
> dos Unidos. (SORIANO, 2002, p. 56)

Isso apenas confirma as desastrosas atitudes e
decisões políticas que decorrem das relações promís-
cuas entre o Estado e a religião. Soriano (2002)
evidencia isso, por exemplo, ao aproximar as inqui-
sições medievais e modernas do constitucionalismo
brasileiro e da Constituição dos Estados Unidos.

O VÉU DA INTOLERÂNCIA: O QUE O VÉU COBRE?

> Autêntico é tudo aquilo que precipita o des-
> moronamento do regime colonial, que favo-
> rece a emergência da nação. Autêntico é o
> que protege os indígenas e arruína os estran-
> geiros. (FANON, 1968, p. 38)

Para Faustino (2013), passados mais de cinquenta anos após a morte precoce de Frantz Fanon em 1961, aos 36 anos, o pensamento do autor ainda é discutido por acadêmicos e ativistas políticos em diferentes línguas e regiões. Entretanto, essa presença no cenário atual é acompanhada por intensos debates sobre o que se considera estatuto central de sua obra e principalmente quais categorias apresentadas por ele podem ser apropriadas como elementos relevantes para a compreensão da sociedade contemporânea.

Os chamados estudos culturais ou pós-coloniais, embasados em uma perspectiva pós-estruturalista, têm retomado a leitura fanoniana a partir de uma abordagem crítica do colonialismo como "discurso" (ou paradigma) implícito à sociedade moderna, promotora de experiências racializadas. A contribuição central de Fanon, segundo essa corrente, seria a ruptura com uma noção essencialista de identidade (hegeliana) rumo a uma noção aberta aos jogos fluidos – como contraposição aos ontológicos – da identificação (HALL, 1996; 2009; APPIAH, 1997; ÁLVARES, 2000).

Em um primeiro nível da análise, o autor ressalta quanto o racismo e a racialização são parte de um processo maior de dominação: a violenta e desigual expansão das relações capitalistas de produção para o mundo não europeu (FAUSTINO, 2015). Por essa razão, para ele seria incorreto acreditar que as forças sociais que empreendem uma guerra colonial o fazem tendo em vista um confronto cultural; pelo contrário, afirma: "A guerra é um negócio comercial gigantesco e toda a perspectiva deve ter isto em conta. A primeira necessidade é a escravização, no sentido mais rigoroso, da população autóctone" (FANON, 1980, p. 37-38 *apud* FAUSTINO, 2015, p. 57).

O mundo colonial é um mundo congenitamente cindido, e a separação entre os polos é mantida pela força das armas. Diferentemente do que ocorre na metrópole, onde a exploração econômica dos trabalhadores é mascarada pelo sentimento de unidade nacional, superioridade racial ou mesmo pela democracia, nas colônias a dominação não pode ser disfarçada e se expressa de maneira irrestrita, inviabilizando qualquer movimentação política que se aproxime de uma sociedade civil. Diante da situação colonial, a violência dispensa a necessidade de legitimação, já que o Outro – este objeto que não é mais visto nem tratado como extensão do Eu – só aparece como predicado dos desejos e gozos do colonizador (FAUSTINO, 2013).

Ainda nesse sentido, há um padrão de poder perpetrado pelo projeto de dominação europeu-ocidental que opera na produção contínua de violência, destruição, desvio e subalternidade sobre outros princípios explicativos de ordenação/compreensão de mundo, dos seres e suas formas de saber. Trata-se da colonialidade do poder. A colonialidade do poder hierarquiza, classifica, oculta, segrega, silencia e apaga tudo que for do outro ou tudo que oferecer perigo à manutenção de um *status quo*, garantindo a perpetuação da estrutura social de dominação, protegendo seus privilégios e os de sua descendência e cristalizando as estruturas do poder oligárquico.

A Colonialidade Cosmogônica[9] é o efeito responsável pela invisibilidade, pela descredibilidade e pela destruição dos sistemas gnoseológicos. Ou seja, essa colonialidade ignora a filosofia que trata dos fundamentos do conhecimento. A noção de gnose emerge como disponibilidade conceitual para pensarmos os princípios explicativos e as potências ausentes em outros modos de sentir, ser, fazer, saber e pensar para além dos limites da racionalidade moderna ocidental.

Na base da colonialidade cosmogônica está a divisão binária natural/social, apartando ancestralidade – espiritualidade da realidade material. Esse princípio do colonialismo arranca bruscamente o espiritual do social. A relação milenar entre os biofísicos mundiais, os humanos e os espirituais, incluindo os ancestrais, o sustento dos sistemas integrais de vida e mesmo da humanidade não são possíveis nesta colonialidade do poder.

Nesse sentido, esta colonialidade é direcionada para a dessacralização ou restrição da expressão do fenômeno do sagrado na territorialidade (relação com o espaço) e da temporalidade (relação com o tempo). Aspectos esses que incidem perversamente, conforme Walsh (2008), em comunidades e movimentos ancestrais, cujas cosmovisões têm seus saberes desqualificados e seu ser confrontado, seja militar, seja pedagogicamente.

O que está posto, no caso das perseguições às CTTro é um racismo epistêmico. Epistemologia é toda a noção ou ideia, refletida ou não, sobre as condições do que conta como conhecimento válido. É por via do conhecimento válido que uma dada experiência social se torna intencional e inteligível. Não há, pois, conhecimento sem práticas e atores sociais. E, como umas e outros não existem senão no interior de relações sociais, diferentes tipos de relações sociais podem dar origem a diferentes epistemologias (SANTOS; MENESES; NUNES, 2004, p. 25).

Não se pode negar que a problemática epistemológica é resultado de um sistema sócio-histórico-político-cultural e, nesse mesmo sentido, é também uma problemática étnico-racial.

A partir dessas premissas, é importante vislumbrar uma perspectiva mais próxima da realidade político-ideológica do país para o que se convencionou chamar de "intolerância religiosa".

As ações que dão corpo à intolerância religiosa no Brasil empreendem uma luta contra os saberes de uma ancestralidade negra que vive nos ritos, na fala, nos mitos, na corporalidade e nas artes de sua descendência. São tentativas organizadas e sistematizadas de extinguir uma estrutura mítico-africana milenar que fala sobre modos de ser, de resistir e de lutar. Quilombo epistemológico que se mantém vivo nas comunidades de terreiro, apesar dos esforços centenários de obliteração pela cristandade.

Trata-se de epistemicídio de práticas e saberes de resistência que compõem a memória africana da diáspora. Os espaços do sagrado negro são *locus* enunciativos que operam na recomposição dos seres alterados pela violência colonial. Assim, esses saberes emergem como ações decoloniais, resilientes e transgressivas (RUFINO, 2017), assentes e perspectivadas por valores éticos outros (ancestralidade), estranhos às lógicas do pensamento cristão ocidental. Portanto, o racismo religioso tem como alvo um sistema de valores cuja origem nega o poder normatizador de uma cultura eurocêntrica hegemônica cristã.

No pensamento do sagrado da negritude, a relação com a ancestralidade emerge como uma ética responsiva. Assim, essas práticas de saber fundamentam uma filosofia da ancestralidade cuja existência se fortalece no centro da encruzilhada.

É na encruzilhada, como um lugar que dá origem a vários caminhos, e de uma lógica exuística, ou aceitação de tudo que há de mais humano na própria controvérsia do orixá Exu, que terreiros/práticas de terreiro/rito/mito e a própria ancestralidade como horizonte ético, potência inventiva, assumem a reconstrução dos seres, a partir dos cacos gerados pelo colonialismo.

Na sociedade do esquecimento e do apagamento, sobretudo de memórias e corpos pretos, mas também das próprias memórias e dos próprios corpos, é impensável a existência de uma religiosidade que retorna no tempo para se compreender e até para (re-)existir.

FACES DA (IN-)TOLERÂNCIA NO SÉCULO 21

> A laicidade, ideologia que arma e sustenta todas as trincheiras em defesa de um Estado laico, não é de fácil apreensão. Como conceito ela não é unívoca, mas, ao contrário, apresenta-se como polimórfica e mesmo polissêmica, se isso é possível a um conceito que se pretende acadêmico. Em outras palavras, Estado laico só existe, na melhor das hipóteses, em termos conceituais e como um "tipo ideal" weberiano e, na pior das hipóteses, como uma bandeira levantada contra segmentos sociais que se quer ver longe da máquina estatal. (ABU-MANSSUR, 2016, p. 17)

Tolerância religiosa, intolerância religiosa, liberdade religiosa, ecumenismo, inter-religiosidade, liberdade de crença e laicidade são alguns conceitos que têm estado presentes no cenário nacional tanto em eventos religiosos quanto em discussões sobre Direitos Humanos e laicidade, além de ações contra a perseguição às religiões de matriz africana.

Tolerância é um termo que vem do latim *tolerare* e significa "suportar" ou "aceitar". A tolerância é o ato de agir com condescendência e aceitação perante algo que não se quer ou que não se pode impedir.

Ouve-se muito que "é preciso tolerar a diversidade". A expressão, aparentemente, progressista e bem-intencionada, desperta a indignação de alguns tolerados. Não, não é preciso tolerar ninguém. "Tolerar" significa algo como "suportar com indulgência", ou seja, deixar passar com resignação, ainda que sem consentir expressamente tal conduta. Quem tolera não respeita, não quer compreender, não quer conhecer. É algo feito de olhos vendados e de forma obrigatória.

"Tolerar" o que é diferente consiste, antes de qualquer coisa, em atribuir a "quem tolera" um poder sobre "o que se tolera". Como se este dependesse do consentimento do tolerador para poder existir. "Quem tolera" acaba visto ainda como generoso e benevolente, por dar uma "permissão", como se fosse um favor ou um ato de bondade extrema (QUINALHA, 2016).

É preciso aceitar que esse tipo de discurso, no fundo, nega o direito à existência autônoma do que é diferente dos padrões construídos socialmente. Há uma linha entre o mais e o menos aceitável. A realidade da tolerância funciona como um expediente do desejo de quem se considera ao lado do mais aceitável para estigmatizar o diferente e manter este às margens da cultura hegemônica, que, outra vez, traça a tênue linha divisória entre o normal e o anormal.

A ação de tolerar não deve ser celebrada e buscada nem como ideal político nem como virtude individual. Ainda que o argumento liberal enxergue, na tolerância, uma manifestação legítima e até necessária da igualdade moral básica entre os indivíduos, não é esse o sentido recorrente nos discursos da política.

Com efeito, ainda que a defesa liberal-igualitária da tolerância, diante de discussões controversas, postule que se trate de um respeito mútuo em um cenário de imparcialidade das instituições frente a concepções morais mais gerais, isso não pode funcionar em um mundo marcado por graves desigualdades estruturais.

A tolerância é apenas um anestésico, um movimento fantasioso que quer fazer crer que somos todos iguais e que podemos nos suportar sem que nos compreendamos, sem que nos olhemos nos olhos e sem que tenhamos um mínimo de empatia por realidades diferentes e fora dos padrões hegemônicos e cristãos.

Em certa medida, a tolerância religiosa não é diferente do "mito da democracia racial", da "cordialidade brasileira", do mito que diz que "somos todos iguais" e do mito que diz que "Deus é um só e somos todos filhos do mesmo Deus". A própria tolerância nega todos estes mitos, pois, se de fato fôssemos todos iguais social, histórica, econômica e culturalmente, ninguém precisaria se tolerar.

A intolerância religiosa no mundo

> Puseram uma faca na minha garganta e uma arma na minha cabeça. Me chamaram de kaffir [infiel]. Disseram que iam me matar. Fui

colocado na solitária e, nas semanas que se seguiram, perdi mais da metade do meu peso. (PONTIFEX, 2018, [on-line])

Em uma entrevista à ACN[10], no início de 2018, Antoine, pai de três filhas, descreveu o que lhe aconteceu quando foi sequestrado por extremistas islâmicos no norte da Síria, na cidade de Alepo. Quando os militantes descobriram que se tratava de um cristão, exigiram que se convertesse, sob pena de morte. Antoine foi encarcerado, torturado e privado de alimentos. Acordava todos os dias receando que fosse seu último dia.

Este foi o preço pago por Antoine pelo fato de não haver liberdade religiosa em seu país. Contudo, teve sorte. Um dia, aproveitou uma oportunidade e fugiu. Sabe-se que, enquanto seus sequestradores estavam rezando, escapou silenciosamente pela porta principal da prisão, cujo cadeado estava aberto. Fugiu, escalou uma parede muito alta e correu como nunca. Mais tarde nesse dia, encontrou-se com sua esposa Georgette e as três filhas.

Esse relato pessoal, juntamente com inúmeros outros exemplos, é a razão de uma crescente preocupação dos direitos humanos com a liberdade religiosa. Para muita gente, a experiência da perseguição tem um resultado totalmente diferente. Somente por pertencerem a uma religião considerada errada, inúmeras pessoas desapareceram, foram assassinadas ou encarceradas indefinidamente. Muitos incidentes desse tipo, motivados por ódio religioso, mostram até que ponto a liberdade religiosa no mundo hoje é "um direito órfão", um direito tênue, que pode ser violado por um poder maior.

Ao analisar o período de dois anos até junho de 2018, o Relatório da ACN avaliou a situação religiosa de cada país do mundo. Reconhecendo que a liberdade religiosa não pode ser analisada de forma adequada se vista isoladamente, os relatórios dos países examinaram de forma crítica a relação muitas vezes emaranhada entre questões de religião e outros fatores relevantes – por exemplo, política, economia, educação. O fato é que nunca é uma questão apenas religiosa.

Foram analisados 196 países com foco especial sobre liberdade religiosa nos documentos constitucionais e outras legislações, em incidentes de referência e finalmente na projeção de tendências prováveis. A partir desses relatórios, os países foram categorizados. A tabela foca nos países em que as violações da liberdade religiosa vão para além das formas comparativamente suaves da intolerância para representarem uma infração fundamental dos direitos humanos (FUNDAÇÃO PONTIFÍCIA ACN, 2018).[11]

PAÍSES COM VIOLAÇÕES SIGNIFICATIVAS DA LIBERDADE RELIGIOSA

Fundação AIS/ACN Portugal

Natureza da perseguição/discriminação

= Perseguição

= Discriminação

↑ = Situação melhorou

— = Situação manteve-se

↓ = Situação piorou

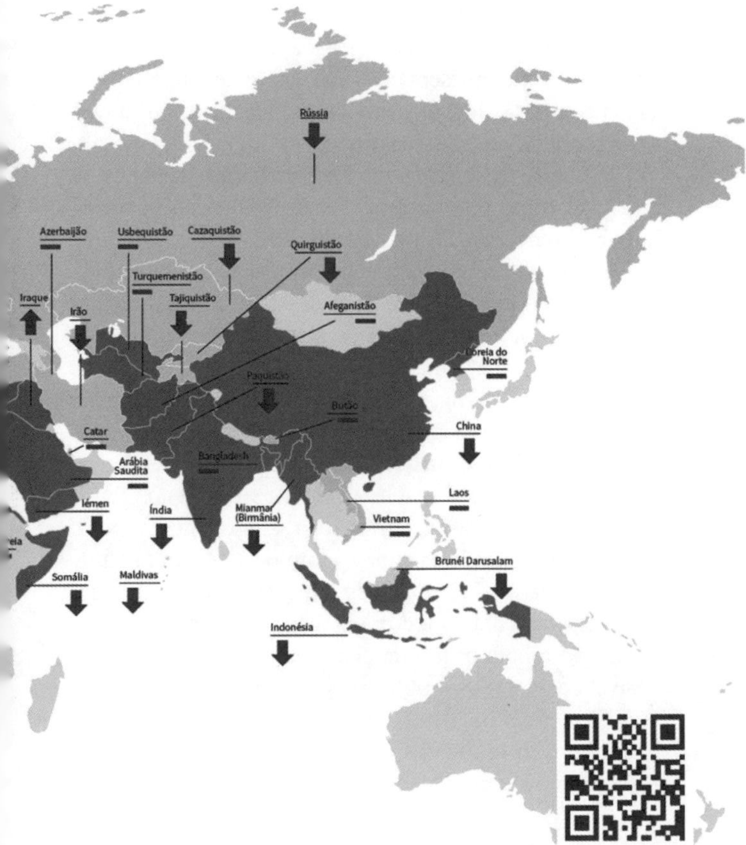

Rússia

Azerbaijão
Usbequistão
Cazaquistão
Quirguistão
Turquemenistão
Iraque
Irão
Tajiquistão
Afeganistão
Coreia do Norte
Paquistão
Catar
Butão
China
Arábia Saudita
Bangladesh
Iémen
Índia
Mianmar (Birmânia)
Laos
Vietnam
Brunéi Darusalam
Somália
Maldivas
Indonésia

Os países onde ocorreram graves violações foram separados em duas categorias: Discriminação e Perseguição. Nesses casos, as vítimas tipicamente têm pouco ou nenhum recurso na lei. Essencialmente, a Discriminação costuma envolver uma institucionalização da intolerância, levada a cabo pelo Estado ou por seus representantes em diferentes níveis, com maus-tratos enraizados em âmbito legal e de costumes a grupos individuais, incluindo comunidades religiosas.

Enquanto a categoria Discriminação identifica o Estado como o opressor, a Perseguição também inclui grupos terroristas e atores não estatais, pois o foco aqui está nas campanhas ativas de violência e subjugação, incluindo homicídio, detenção falsa e exílio forçado, além de danos ou expropriação de bens. De fato, o próprio Estado pode frequentemente ser uma vítima, como se vê, por exemplo, na Nigéria[12]. Temos então que a Perseguição é uma categoria de infração mais alta, pois as violações da liberdade religiosa em questão são mais graves e tendem a incluir formas de discriminação como subproduto.

A categoria Discriminação é igualmente perigosa. Nas Maldivas, por exemplo, a nacionalidade está reservada apenas aos muçulmanos; educação necessária para "incutir obediência ao islamismo"; difusão religiosa não muçulmana proibida. É impossível converter-se a outra religião que não seja o islamismo, pois os locais de culto cristãos inexistem, a importação de Bíblias é proibida e pessoas acusadas de promoverem o "ateísmo" são atacadas.

Ao fazer essa análise, o Relatório da Liberdade Religiosa no Mundo da ACN identificou violações significativas em 38 países (19,3%). Estes foram examinados detalhadamente, o que tornou possível chegar a algumas conclusões. Em primeiro lugar, 21 países (55%) foram colocados no topo da categoria Perseguição e os outros 17 (45%) na categoria menos grave de Discriminação. Isso significa que, em todo o mundo, 11% dos países foram classificados na categoria Perseguição e 9% na categoria Discriminação.

A situação da liberdade religiosa deteriorou-se em 18 (47,5) dos 38 países, divididos mais ou menos uniformemente entre as duas categorias. Também 47,5% não mostraram sinais claros de mudança entre 2016 e 2018. As condições da liberdade religiosa melhoraram em apenas dois países (5%): Iraque e Síria, ambos grandes infratores em 2016. Significativamente, a situação na Rússia e no Quirguistão agravaram-se a tal ponto nesse período que, em 2018, os dois entraram na categoria Discriminação pela primeira vez. Em contrapartida, o acentuado declínio da violência islâmica militante na Tanzânia (Zanzibar) e no Quênia categorizou esses dois países como "Não Classificados".

No entanto, apesar das comparações, uma diferença significativa se fez notar: houve um aumento marcante no número de países com violações importantes da liberdade religiosa, onde a situação claramente se agravou. Em 2018 isso aconteceu em 18 países, quatro a mais do que no período abrangido pelo relatório anterior, o que representou uma clara deterioração, além de refletir o padrão geral, que mostra um aumento da ameaça à liberdade religiosa por parte de atores estatais. Exemplos disso incluem Mianmar, China, Índia, Irã, Cazaquistão, Quirguistão, Rússia, Tajiquistão e Turquia. Embora a ameaça de atores islâmicos e atores não estatais tenha diminuído desde 2016 em países como Síria, Iraque, Tanzânia e Quênia, em muitos outros países a ameaça do extremismo islâmico foi visível, mas ainda não necessariamente suficiente para justificar a mudança para pior. As evidências sugerem que a ameaça do extremismo islâmico provavelmente aumentará até a próxima década.

Essa mesma projeção pode ser feita de forma mais definitiva com relação aos atores estatais – regimes autoritários –, que, desde 2016, causaram um retrocesso na liberdade religiosa em vários países, incluindo alguns de influência regional e global.[13]

Rumos da intolerância e do apagamento religioso preto e estigmatizado no Brasil: da negação à inexistência

Se o povo brasileiro tivesse os olhos bem abertos contra a feitiçaria, a bruxaria e a magia, oficializadas pela umbanda, quimbanda, candomblé, kardecismo e outros nomes, que

> vivem destruindo as vidas e os lares, certa-
> mente seríamos um país bem mais desenvol-
> vido. (MACEDO, 2002, p. 62)

Até aqui está posto quanto a negação da existência do outro por meio do apagamento de sua
cultura e crenças religiosas possui estreita relação
com um projeto de poder relacionado a um proselitismo eleitoral. Não se pode negar que os ataques
direcionados à questão religiosa, no bojo das relações
sociais, começam e são reforçados por meio de um
discurso legitimado pelo poder e por poderosos.

A incitação à intolerância, sobretudo em relação
às religiões de matrizes africanas, parte de discursos
proferidos por pastores, padres e até autoridades
políticas. Tudo em nome de uma agenda moral transformada em uma crença que se resume ao desejo de
se encontrar uma solução rápida e mítica – no mau
sentido da palavra – para os problemas de segurança
pública, em busca de uma educação de qualidade,
da manutenção de valores da suposta família tradicional e de uma política anticorrupção. Se a agenda
moral é apenas uma ilusão que serve a um proselitismo eleitoral, a violência simbólica é real e segue
fazendo suas vítimas.

A violência simbólica também configura um
marco teórico importante nessas análises. Para
Bourdieu (2007, p. 14-15), "o que faz o poder das
palavras e das palavras de ordem, o que faz o poder

de manter a ordem ou de a subverter é a crença na legitimidade das palavras e daquele que as pronuncia, crença cuja produção não é da competência das palavras". A competência é sempre do enunciador, que, deliberadamente e em nome do poder, produz um discurso de ódio contra as chamadas minorias sociais.

O poder no ato de produção das palavras é aquele enunciado por um sujeito, uma determinada situação cujos indivíduos envolvidos retroalimentam a crença no que está sendo proferido (em espaços religiosos, por exemplo) e na afirmação de que no espaço da dominação aquele que possui o poder institucionalizado pode e deve exercer poder sobre os demais. Assim, a violência, imperceptível entre os que estão envolvidos, se naturaliza.

Templos são invadidos e profanados. Em outros casos, há agressões verbais, destruição de imagens sacras e até ataques incendiários ou tentativas de homicídio. O cenário preocupa adeptos de diversas religiões e, em pelo menos oito estados, o Ministério Público investiga ocorrências recentes de intolerância. Entre janeiro de 2015 e o primeiro semestre de 2019, o Brasil registrou uma denúncia a cada 15 horas, conforme dados do extinto Ministério dos Direitos Humanos (BRASIL, 2019).

O livro *Presença do axé: mapeando terreiros no Rio de Janeiro*, organizado pelas pesquisadoras Denise Pini Rosalem da Fonseca e Sonia Maria

Giacomini (2013), revela o dramático problema enfrentado pelos fiéis das religiões afro-brasileiras: de 840 terreiros pesquisados, 430 (cerca de 51%) já passaram por alguma forma de agressão. Os números do estudo realizado no Rio de Janeiro revelam que 430 casas sofreram alguma "discriminação religiosa". É importante notar também os locais das agressões – públicos (57%) e notadamente a rua (67%) –, os tipos de agressão – verbal (70%) e física (21%) –, os agressores – evangélicos (39%); vizinhos (27%) – e os tipos de alvo – a pessoa (60%) e a casa (29%).

A referida pesquisa demonstrou que a qualificação "evangélico" corresponde a 32% da incidência dos casos, o que representa o primeiro lugar entre agentes agressores e/ou discriminadores. Já os "vizinhos" representam cerca de 27%, e os "vizinhos evangélicos" ocuparam a terceira posição dos agressores, em torno de 7%.

O estudo revelou também que os constantes ataques aos seguidores das religiões afro-brasileiras não se restringem apenas aos terreiros, mas também a espaços públicos, como praças, estações de metrô e ruas, configurando uma violência religiosa cotidiana. Ainda segundo Fonseca e Giacomini (2013), de 393 casos de agressões fora dos terreiros, 225 (57%) ocorreram em espaços públicos.

Outro dado levantado foi que, nas ruas onde ocorrem algum tipo de intolerância religiosa, cerca de 67% acontecem em regiões bem próximas a templos de igrejas neopentecostais, ou seja, *locus* de poder dos principais agressores.

É preciso destacar, de acordo com Ribeiro (2016), que, por concentrarem o maior número de adeptos das religiões afro-brasileiras, depois do Rio Grande do Sul, conforme o Censo 2010 (IBGE, 2010), o Rio de Janeiro e a Bahia são os estados onde ocorrem o maior número de ataques a terreiros no Brasil. Contudo, em outras regiões, também há notícias de agressão. Em 12 de setembro de 2015, em Águas Lindas de Goiás (GO) e Santo Antônio do Descoberto (GO), em um intervalo de cinco horas, ocorreram incêndios criminosos em locais de culto afro-brasileiro, sendo que um deles foi totalmente destruído. As duas cidades têm aproximadamente 38 quilômetros de distância uma da outra.

Os dados nacionais do Disque 100 (BRASIL, 2019) evidenciam a religião mais perseguida no Brasil. Em 2011, das 15 denúncias, houve um incidente com candomblé e 11 com religião não informada; em 2012, 109 denúncias, sendo 13 de CTTro[14] e 71 sem religião informada; em 2013, das 231 denúncias, 45 de CTTro e 121 sem religião informada; em 2014, das 149 denúncias, 41 delas se referem às CTTro (aparece uma denúncia para Tambor de Mina) e 50 sem religião informada; em 2015, foram 556 denúncias, das quais 394 sem religião informada e 46 referentes às CTTro; em 2016, o Disque 100 apresentou o maior número de denúncias desde o primeiro ano do balanço, com 759 denúncias.

No ano anterior, em 14 de junho, um caso grave de intolerância foi noticiado na grande mídia: a menina Kailane fora agredida com uma pedra quando deixava uma comunidade terreiro de candomblé. É possível afirmar que a discussão sobre a intolerância religiosa se intensificou e, do mesmo modo, o Disque 100 passou a ser mais conhecido pela população. Em 2016, o tema "intolerância religiosa" foi adotado na redação do Exame Nacional do Ensino Médio (ENEM).

Das 756 denúncias de 2016, mais uma vez uma quantidade expressiva não possui religião informada (478) e foram 178 de CTTro; em 2017, das 537, pouco mais da metade não informa a denominação-origem da denúncia (275), com 145 denúncias de CTTro; em 2018, os números praticamente de mantêm: 506 denúncias, dentre as quais 261 sem religião informada e 152 de CTTro.

Pelo menos 90% das denúncias sem religião informada referem-se a religiões estigmatizadas, ou seja, às religiões de matriz africana (CTTro), o que colocaria as tradições africanas no Brasil entre 80% e 90% das denúncias gerais. Em 2018, por exemplo, das 506 denúncias, pelo menos 400 seriam referentes às perseguições contra as CTTro.

Religião	AC	AL	AM	AP	BA	CE	DF	ES	GO	MA	MG	MS	MT	PA
										Disque 100 - Ano 2018				
Adventisa do Sétimo dia														
Agnóstica														
Assembléia de Deus														
Ateu														
Budista														
Candomblé		1			11	2					2			
Católica							1	1			1			
Cigana														
Cristã														
Espirita					1									
Evangélica							1				4		2	
Exôterica													1	
Irmandade Celestial														
Islamismo														
Judaísmo														

Discriminação Religiosa - Religiões das vitimas															
PB	PE	PI	PR	RJ	RN	RO	RR	RS	SC	SE	SP	TO	NA	TOTAL	%
		1		2										3	0,59%
											1			1	0,20%
	1													1	0,20%
					1									1	0,20%
			1											1	0,20%
2	8		2	12							7			47	9,29%
1	1			2							3			10	1,90%
											1			1	0,20%
									1					1	0,20%
			1	1							5			8	1,58%
2				3					1		10			23	4,55%
														1	0,20%
			1											1	0,20%
												1		1	0,20%
			1											1	0,20%

PARTE 2

											Disque 100 - Ano 2018			
Religião	AC	AL	AM	AP	BA	CE	DF	ES	GO	MA	MG	MS	MT	PA
Judaísmo/ Cristianismo														
Kardecista														
Maçonaria														
Matrizes Africanas			1	1	5			2	1	1	2			
Mística								1						
Muçulmana												1		
Não Informada			2		7	1	2	2	3		3			1
Protestante														
Religião Indígena													2	
Testemunha de Jeová					1						3	1		1
Umbanda						4		1	3		8			3
Umbanda/ Candomblé								1						
Umbanda/Quim- banda/Candomblé														
Total	0	1	3	1	24	8	4	8	7	1	23	2	5	5

Discriminação Religiosa - Religiões das vitimas															
PB	PE	PI	PR	RJ	RN	RO	RR	RS	SC	SE	SP	TO	NA	TOTAL	%
													1	1	0,20%
			1											1	0,20%
			1											1	0,20%
	5		1	4				1			3		1	28	5,53%
														1	0,20%
														1	0,20%
3	5		7	14	1			4	1		16		189	261	51,58%
											1			1	0,20%
														2	0,40%
		2		6				1			16			31	6,13%
1	2	1	4	13				3	3		26			72	14,23%
			2								1			4	0,79%
								1						1	0,20%
7	24	4	18	61	2	0	0	10	6	0	91	0	191	506	100%

Fonte: Brasil (2019)

É importante destacar que os dados de 2018 evidenciam que, das 506 denúncias, 30% (152) das vítimas são adeptos de umbanda, candomblé ou religiões de matriz africana; 1,97% (10), católicas; e 11,6% (59), evangélicas e protestantes. Do total, 51% (261) não especifica qual a religião. Os dados revelam que a religião hegemônica, a católica, quase não é perseguida e, na sequência, os evangélicos e protestantes sofrem cerca de 10% das perseguições. No entanto, os adeptos de umbanda, candomblé e religiões afins são alvo de 30% das perseguições. Ao se considerar a invisibilidade, a marginalização, a estigmatização e a vergonha desses grupos em assumirem ser praticantes dessas tradições religiosas de origem africana, pode-se elevar o número de denúncias para praticamente 80% com o somatório das denúncias com e sem informação da religião.

Ainda sobre a questão da vergonha, da invisibilidade e até do medo dos adeptos das tradições religiosas de origem africana se identificarem como umbandistas, candomblecistas, de terreiro ou do axé, o ato de se esconderem a fim de se tornaram invisíveis – sempre mais seguro do que a visibilidade – pode ser reforçado pelo trabalho do professor e babalorixá Patrício Carneiro Araújo (2017).

Por meio de uma pesquisa quantitativa realizada em cinco escolas estaduais em São Paulo, com 315 alunos e 59 professores (374 informantes), evidencia-se a ausência quase total de alunos e professores pertencentes às religiões de matriz africana, exceto por um, frequentador da Escola Estadual João XXIII.

TABELA 2 – QUAL É A SUA RELIGIÃO? ALUNOS

	E. E. Profa. Maria E. Martins	E. E. Sen. Adolfo Gordo	E. E. Carlos Maximiliano	E. E. Antônio Alves Cruz	E. E. João XXIII	Total
Católica A. R.	43%	49%	35%	45%	38%	42,5%
Evangélica	20%	31%	23%	13%	30%	23,5%
Espírita	5%	0%	3%	7%	0%	2,9%
Umbandista	0%	0%	0%	0%	0%	0%
Candomble-cista	0%	0%	0%	0%	1%	0%
Outras religiões	3%	0%	18%	5%	3%	5,3%
Sem religião	29%	20%	21%	29%	28%	26,5%

Fonte: Araújo (2017)

De acordo com Araújo (2017), o que mais chama a atenção é a total inexistência de alunos ligados às religiões afro-brasileiras (umbanda e candomblé). Araújo (2017) se pergunta como explicar a existência de terreiros nos mesmos bairros dessas escolas. São esses mesmos terreiros que abrigam uma grande população de pessoas em idade escolar, mas, mesmo assim, a pesquisa revela a ausência de alunos ligados aos terreiros.

Certamente, a vergonha, a estigmatização, o racismo e o apagamento de pessoas de terreiro apontam para a estratégia de se esconder atrás da indicação de pertencimento religioso ligado às expressões religiosas hegemônicas e brancas, a outras religiosidades ou até à ausência de religião. É preferível até se identificar como não religioso a pertencer a uma religião de origem preta.

No caso dos jovens, nos ensinos fundamental e médio, é compreensível dada a necessidade de pertencerem a grupos, mas e no caso dos professores?

TABELA 3 – QUAL É A SUA RELIGIÃO? PROFESSORES

	E. E. Profa. Maria E. Martins	E. E. Sen. Adolfo Gordo	E. E. Carlos Maximiliano	E. E. Antônio Alves Cruz	E. E. João XXIII	Total
Católica A. R.	33%	-	58%	62%	27%	40,8%
Evangélica	25%	-	14%	15%	19%	20,0%
Espírita	4%		14%	0%	27%	10,2%
Umbandista	0%	-	0%	0%	0%	0%
Candomblecista	0%		0%	0%	0%	0%
Outras religiões	13%		0%	0%	0%	5,3%
Sem religião	25%		14%	23%	27%	23,8%

Fonte: Araújo (2017)

O educador também indaga por que há a negação da religião seguida partindo de adultos e profissionais da educação? Assim como nos dados do Disque 100, o racismo atua no apagamento de tudo cuja origem for ligada à identidade afro-brasileira.

É certo que a intolerância religiosa no Brasil conduz ao apagamento dos não tolerados. Ninguém ficaria confortável na posição de suportado, embora não aceito ou respeitado. Tanto os dados do Disque 100 quanto a pesquisa de Araújo (2017) revelam a vergonha dos perseguidos. Em uma sociedade em que todos nascem brancos, heteronormativos e cristãos – porque quem não for cristão é pejorativamente pagão –, são quase naturais a negação e o apagamento da crença seguida quando esta não é motivo de orgulho. Se estamos diante de uma cristãocracia fortalecida pelo presidente eleito em 2018 e pelo loteamento de ministérios, secretarias e setores públicos cuja única credencial exigida é pertencer a uma igreja evangélica, quem se sentirá à vontade para se identificar como pertencente a uma tradição preta?

A VERDADE SOBRE A INTOLERÂNCIA RELIGIOSA É BRANCA: MAIS UM DOS TENTÁCULOS DO RACISMO

A burguesia ocidental ergueu suficientes barreiras e parapeitos para não temer realmente a competição daqueles a quem explora e despreza. O racismo burguês ocidental com relação ao negro e ao árabe é um racismo de desprêzo; é um racismo que minimiza. Mas a ideologia burguesa, que proclama uma igualdade de essência entre os homens, consegue preservar a sua lógica convidando os sub-homens a se humanizarem através do tipo de humanidade ocidental que ela encarna. (FANON, 1968, p. 135)

Há uma discussão estendida referente à compreensão semântica adequada a perseguições, violências, privações, opressões, impedimentos, agressões, demonização, subalternização, segregações, exclusões e toda sorte de crimes cometidos em nome de uma religião que se quer hegemônica com vistas à condenação das tradições de origem negroafricana[15] no Brasil.

Alguns acreditam que a melhor expressão seja "intolerância religiosa". Todavia, no caso das violências praticadas contra as religiões de origem africana no Brasil, o componente nuclear desse tipo de violência contra as CTTro é o racismo.

Quando se fala em intolerância religiosa, algumas vezes o foco da perseguição não é apenas a origem étnica dos praticantes ou a origem da crença, mas uma prática do sagrado alheio, que é considerada herética ou demoníaca por outro grupo. No caso dos evangélicos em relação aos católicos, a perseguição se dá por conta do que chamam de idolatria: a relação secular do catolicismo com as representações figurativas de seus entes sagrados. O uso de imagens dentro da igreja católica não foi ponto pacífico, mas alvo de discussão teológica na Idade Média entre os doutores da igreja. O uso de imagens justificou-se de diversos modos, não apenas teológicos. Por meio das representações, fiéis em sua maioria iletrados podiam conhecer as histórias de Jesus e dos santos, além de meditar sobre esses exemplos sagrados e suas histórias de martírio e fé. As esculturas e pinturas também facilitaram o processo de conversão de povos em cujas religiões ancestrais havia o uso corrente de imagens que representavam o sagrado. Apesar de todo o contexto histórico, teológico e político que justifica a presença e o uso das imagens em contexto religioso católico, os evangélicos ainda hoje os acusam de idolatria.

Entretanto, é inegável que a perseguição às religiões cristãs (católicas, evangélicas e protestantes) está bem distante da estigmatização e da demonização centenária sofrida pelas CTTro. A estratégia mais segura para se evitar a perseguição é a negação da existência dessas tradições. Como mostrado anteriormente, os dados apontam que há uma violência endêmica direcionada aos membros de CTTro de todo o Brasil. Apesar dos processos de invisibilidade e agressões sistêmicas a essas comunidades, muitas de suas lideranças possuem plena consciência da estrutura social racista e dos agentes que promovem a manutenção da intolerância religiosa.

Para Pai Nildo de Oxaguian da Comunidade da Compreensão e da Restauração Ilê Axé Renovação do Ar pela força de Elejigbô (CCRIARE), fundada em São Mateus (SP):

> A religião ainda tem sido usada como motivação para guerras e conflitos. A intolerância religiosa atinge todas as crenças, mas a perseguição a determinadas religiões é mais intensa conforme a região e a época. Muito embora nossas leis determinem a liberdade religiosa, exercer uma fé pode não ser tão livre assim no Brasil. Constitucionalmente o país é laico, mas faltam condições para que as diferentes correntes religiosas possam conviver em harmonia.

A resposta a tal ignorância e falta de conhecimento de muitos tem sido a luta pacífica por meio do direito constitucional e da prática da fé ancestral com liberdade. Nós, das Comunidades Tradicionais de Terreiro, temos o direito de escolha e não podemos nos calar diante de ações e atitudes contra nós das religiões de matriz africana. A falta de diálogo entre as pessoas de diferentes religiões é um problema muito comum no Brasil. Respeito e um pouco de conhecimento faria total diferença para criamos laços entre todas as religiões. A luta é gigante porque o silenciamento se dá também por conta do racismo. Agora, o racismo extrapola a cor da pele dos praticantes e invade as origens da prática sagrada por conta de sua estigmatizada origem africana-preta-ancestral.

Daniel de Oxaguian, babalorixá da Comunidade da Renovação Ilè Asé Òsógiyán (CREIA Òsógiyán), em Tremembé (SP), também oferece a sua percepção sobre o racismo religioso:

Temos constatado o avanço dos ataques a comunidades tradicionais de terreiro no Brasil e não é muito difícil levantar hipóteses sobre as causas desse fenômeno, já que a última campanha eleitoral foi um desfile de ataques às ditas minorias, entendidas nesse contexto como minorias políticas e, portanto, com pouca ou nenhuma representatividade nas casas legislativas dos estados brasileiros. Sinto que houve o fortalecimento, até mesmo a legitimação de atos de intolerância religiosa, já que a maior autoridade política do país declarou que o Brasil é um país majoritariamente cristão e que quem fosse contra, se mudasse. Entendo que as falas do presidente serviram para encorajar pessoas a desrespeitar a fé alheia. Penso que o termo intolerância religiosa, apesar de comumente usado, limita nossa luta apenas aos ataques isoladamente. Entretanto, se o ampliamos para racismo religioso somos conduzidos para a estrutura racializada do Brasil, onde se encontra a raiz do problema. Sabemos que tudo o que ligado às africanidades é tratado de forma secundária, sem valor. Inclusive sua religiosidade. Acontece que isso é apenas mais uma forma de expressão do racismo o que leva pessoas que professam outras fés a demonizarem as religiões de matrizes africanas, como a Umbanda e o Candomblé.

Para a *iyalode* Marisa de Oyá do Ilê Axé Oyá Mesán Orun, de Chácara Inglesa (SP), toda perseguição às CTTro tem a ver com uma reiteração e manutenção da escravidão:

Trata-se de uma realidade estabelecida no país desde o fim da escravidão. O que fazer com eles, se não são mais escravos? Vamos eliminá-los. Começou pela proibição aos estudos, a adquirir terras, a trabalhar e viver com dignidade. De tudo foi tentando para o extermínio de uma raça. Mas este povo é forte e resiste bravamente, com sua fé e crenças em seus deuses, Orisás, Vodunces, Inkises. Cria-se então o Racismo Religioso, para mais uma vez atacar e tentar enfraquecer essa Raça de pele escura, tão forte e tão bela, que não se curva e nem esmorece. A violência e a depredação aos terreiros nada mais é que Racismo e iluminação de um povo, que foi escravizado, e resiste até hoje através de suas Ancestralidades. Não vamos cair. Somos mais fortes que tudo.

Mãe Nádia Ominodô de Ologunedé, da CCRIÁ-LO, em Butantã (SP), também acredita que estamos diante de racismo religioso:

O Racismo Religioso vai muito além do que desqualificar uma crença Ele é vil, danoso, porque sabota, ou pelo menos tenta sabotar, o que um povo tem de mais sagrado e escolheu para sua fé, e no nosso caso vem acompanhado daquilo que é considerado marginal pelo racista.

As percepções apresentadas acerca dos significados da violência e da perseguição aos povos e comunidades de matriz africana ratificam as "continuidades de um sistema de dominação, de matriz colonial escravista, que hierarquiza seres humanos, formas de vida e privatiza espaços públicos" (PIRES; MORETTI, 2016, p. 389).

Assim, demarcam a gravidade e, sobretudo, a especificidade da experiência de uma violência perpetrada contra as religiões de matriz africana, que tem no racismo seu sustentáculo de legitimação e ação destruidora. É no racismo que está o componente nuclear das diversas formas de violência contra as CTTro.

O racismo evidencia igualmente como as agressões não se circunscrevem a um caráter puramente religioso, mas a uma dinâmica civilizatória repleta de valores, saberes, filosofias, sistemas cosmológicos, em suma, modos de viver e existir negro-africano amalgamados nas CTTro. Diante disso, a afirmação do afroteólogo, professor e filósofo Jayro Pereira, em entrevista a Deus (2019, p. 15), nunca foi tão significativa: "[A denominação] intolerância religiosa reduz a dimensão da violência contra os terreiros".

Trata-se de um racismo que se pretende racional, individual, determinado pelo genótipo e pelo fenótipo, mas transforma-se facilmente em um racismo cultural. Nesse caso, o objeto do racismo já não é o homem particular, mas certa forma de existir. No limite, fala-se de mensagem, de estilo cultural. Os "valores ocidentais" reúnem-se singularmente ao já célebre apelo à luta da "cruz contra a espada" (FANON, 1968).

O racismo religioso condena a origem, a existência, a relação entre uma crença e uma origem preta. O racismo não incide somente sobre pretos e pretas praticantes dessas religiões, mas sobre as origens da religião, sobre as práticas, sobre as crenças e sobre os rituais. Trata-se da alteridade condenada à não existência. Uma vez fora dos padrões hegemônicos, um conjunto de práticas culturais, valores civilizatórios e crenças não pode existir; ou pode, desde que a ideia de oposição semântica a uma cultura eleita como padrão, regular e normal seja reiteradamente fortalecida.

É provável que o termo "intolerância" seja mais aceito por conta dos mitos da democracia racial e da democracia religiosa (laicidade). No Brasil tudo o que colocar o povo brasileiro em uma posição cordial será mais aceito do que qualquer noção que confrontá-lo ou que pode colocá-lo na posição de extremista, excludente e violento.

Fanon (2008) alerta que o colonialismo produziu a chamada inferioridade do colonizado, que, uma vez derrotado e dominado, acaba por aceitar e internalizar essa ideia. O colonizador se sustenta no racismo para estruturar a colonização e justificar sua intervenção, pois, por meio da difusão ideológica da suposta superioridade do colonizador, sua ação é vista como benefício, e não como violência, o que resultou na alienação colonial, na construção mítica do colonizador e do colonizado – o primeiro retratado como herdeiro legítimo de valores civilizatórios universalistas, e o segundo, como selvagem e primitivo, despossuído de legado merecedor de ser transmitido.

As ideias de Fanon sobre racismo, assimilação e alienação foram importantes para as reflexões de Lélia Gonzalez (1983) acerca da chamada democracia racial brasileira, um dos principais alvos de ações e críticas do movimento negro nos anos 1980, através da denúncia de quanto era falaciosa tal democracia, resumindo-se, na verdade, "em um dos mais eficazes mitos de dominação".

Segundo Gonzalez (1988), o racismo pode apresentar taticamente duas formas para manter a "exploração/opressão": o racismo aberto e o racismo disfarçado. A primeira forma é encontrada, principalmente, nos países de origem anglo-saxônica. Já a segunda predomina nas sociedades de origem latina. No racismo disfarçado, "prevalecem as 'teorias' da miscigenação, da assimilação e da 'democracia racial'", e essa forma de se manifestar, afirma, ao pensar o Brasil, impede a "consciência objetiva desse racismo sem disfarces e o conhecimento direto de suas práticas cruéis" (1988, p. 72-74), pois a crença historicamente construída sobre a miscigenação criou o mito da inexistência do racismo em nosso país.

Ainda de acordo com Gonzalez (1988), no processo de secularização e laicização do Brasil, com o advento da República em 1889, fica patente que toda a concepção de Estado recebe o legado do modelo social escravista que se baseava na crença da inferioridade da população negra e sua herança cultural religiosa. O racismo "estabelece uma hierarquia racial e cultural que opõe a 'superioridade' branca ocidental à 'inferioridade' negroafricana" (1988, p. 77).

A categoria "intolerância" não nos instrumentaliza a perceber o racismo como central na compreensão da perseguição às religiões de matrizes africanas. Além disso, continuamos operando sob o prisma do paradigma cultural europeu.

Para Carlos Moore (2007), o racismo é uma ordem sistêmica em si, uma estrutura total e autônoma que construiria seus próprios modelos ideológicos de sustentação, e não uma formação subalterna de qualquer outra estrutura. É um sistema total que se articula em três instâncias entrelaçadas: estruturas políticas, econômicas e jurídicas.

Afinal, por que racismo em vez de intolerância religiosa? Porque, nesse caso, o objeto do racismo já não é o homem particular, mas certa forma de existir. Trata-se da negação de uma forma simbólica e semântica de existir, de ser e estar no mundo.

Nesse caso, o racismo atinge explícita ou implicitamente a dimensão mais importante de uma pessoa e/ou de uma coletividade: sua própria humanidade. O processo de demonização dos cultos de matrizes africanas, em última análise, caracteriza a negação da humanidade desses fiéis.

> A palavra de ordem era purificação. Casas de diversão e cultura eram compradas e transformadas em templos. A rede evangélica de televisão cobria o território nacional com mensagens de regeneração dos costumes e das crenças de toda a espécie [...]. Os evangélicos em especial queriam apagar todas as marcas consideradas negras. Por isso agora havia ritos de apagamento. Um lugar com sinais de culto afro-brasileiro era perseguido, eventualmente arrasado a fogo e purificado com sal. [...] (MUNIZ SODRÉ, 2018, [on-line])

Está posto que o racismo serve a um sistema e a um projeto de poder; manter o poder de um grupo em detrimento de outro. Trata-se mesmo de atribuir a um grupo, a suas origens e a suas crenças um conjunto de rupturas e transgressões que permitem à sociedade se considerar dentro de um padrão de comportamentos e escolhas aceitáveis na medida em que outro grupo serve apenas como ponto de comparação.

O racismo se agrava e avança também porque forças políticas legitimam o etnocentrismo e a perseguição às religiões não hegemônicas. Em 2011, o deputado federal e pastor Marco Feliciano (PSC-SP) fortalece, por meio de uma declaração no Twitter, que africanos descendem de um ancestral amaldiçoado:

Africanos descendem de ancestral amaldiçoado por Noé. Isso é fato. O motivo da maldição é a polêmica. Não sejam irresponsáveis twitters rsss [...] sobre o continente africano repousa a maldição do paganismo, ocultismo, misérias, doenças oriundas de lá: ebola, Aids. Fome [...] Sendo possivelmente o 1o. Ato de homossexualismo da história. A maldição de Noé sobre canaã toca seus descendentes diretos, os africanos. [sic] [...] (FELICIANO, 2011)

Na sequência, o pastor e deputado acrescentou que as mensagens foram publicadas por assessores, sem a sua aprovação. Embora tenha se esquivado da responsabilidade, o parlamentar afirmou também que não considera as mensagens racistas. "Não foi racista. É uma questão teológica", disse. "O caso do continente africano é *sui generis*: quase todas as seitas satânicas, de vodu, são oriundas de lá. Essas doenças, como a Aids, são todas provenientes da África", acrescentou.

O comportamento do parlamentar não é exceção e, hoje, alguns anos depois, nada mudou. Entre eufemismos, metáforas e sutilezas discursivas, o discurso religioso se mimetiza ao político com vistas à conversão de eleitores a uma plataforma de poder fantasiada de cristandade. A questão aqui é: por que essas autoridades e representantes, a um só tempo, de Cristo e do povo, sentem-se tão à vontade para prática pública do racismo?

A mensagem do pastor Marco Feliciano que fora postada e na sequência apagada evidencia o mesmo procedimento adotado pela branquitude acrítica (CARDOSO, 2011)[16] em relação ao racismo. Os atos de racismo são apagados pela simples negação dele e infelizmente isso tem funcionado. Basta um pedido de desculpas ou o apagamento para que, segundo eles, o racismo nunca tenha existido.

Nesse sentido, a consolidação de uma branquitude crítica, em oposição a esses reiterados movimentos de violência simbólica contra as tradições religiosas de origem africana no Brasil – ou seja, o efetivo papel do branco que desaprova o racismo e pode lutar contra ele – depende também em grande parte de um exercício autorreflexivo sobre o lugar racial do branco.

Para Rejane da Silva (2012), os discursos de intolerância que inferiorizam as religiões afro-brasileiras têm sido observados por historiadores, antropólogos e sociólogos em diferentes contextos durante o século 19 e 20. Vagner Gonçalves da Silva (2007), em sua obra *Intolerância religiosa: o impacto do neopentecostalismo no campo religioso afro-brasileiro*, observou que há no Brasil das últimas décadas um acirramento dos ataques das igrejas neopentecostais contra as religiões afro-brasileiras, e que tal situação tem provocado conflitos de grande repercussão e visibilidade pública.

Os estudos realizados sobre a história das religiões afro-brasileiras no Brasil apontam para uma série recorrente de perseguições e intolerâncias em torno dos adeptos e suas práticas rituais.

João José Reis (2005, p. 25) afirma que pouco se sabe sobre a história das religiões afro-brasileiras no século 19. Informações sobre os adeptos dessas religiões aparecem frequentemente em dois tipos de fontes: os registros policiais e as notícias de jornal. É sabido que na segunda metade do século 19 a escravidão e o racismo científico resultaram na perseguição ao candomblé e na punição de seus seguidores. Com o fim da escravidão, o "baixo espiritismo", designação por meio da qual candomblé e umbanda foram desqualificados e rebaixados de forma sistemática nos planos moral e religioso, foi mantido sob forte repressão institucional até a década de 1940. Sobre isso Mariano (2001, p. 127) afirma: "Nesse período, preponderaram contra eles acusações de prática ilegal da medicina, curandeirismo e magia negra expressas, documentalmente, em discursos da imprensa, da polícia, da justiça, muitos deles oriundos, inclusive, da pena de diversos intelectuais."

Em meados do século 20, quando a perseguição aos terreiros não é mais justificada por lei, houve a cooptação de práticas religiosas negras por uma classe média branca que quer consumir elementos do sagrado africano, ao mesmo tempo que não deixa de ser compreendida como elevada, higienizada e civilizada. A umbanda, religião de clara ascendência banto, descendente das "macumbas cariocas", é eleita para ser apropriada e se tornar bem de consumo da classe média. Ganha um mito de fundação tendo como personagem central um homem branco e, ao longo do século 20, é teorizada por uma série de publicações religiosas que tentam afastá-la da África e aproximá-la de qualquer origem que a embranqueça. Dentro desses processos de afastamento das reais origens culturais da umbanda, a religião precisa de um marco "civilizatório" que a afaste definitivamente da "selvageria" relacionada às religiões pretas. Entre as normatizações impostas pela branquitude a essa religiosidade banto-descendente, há aquela que a fará completamente aceitável pela classe média urbana do século 20: a umbanda não faz sacrifício animal! O sacrifício animal é considerado bárbaro, completamente incompatível com o higienismo civilizador de uma cultura que se vê como europeia.

Junto com a ascensão dessa religião negra em processo de embranquecimento para consumo da classe média, em 1951 a revista *O Cruzeiro* publicou uma reportagem fotográfica intitulada "As noivas dos deuses sanguinários". A reportagem, com texto de Arlindo Silva e imagens de José Medeiros, mostra cenas do rito iniciático do candomblé. Rito este que é tradicionalmente fechado, inviolável, mas que é midiatizado por um olhar desrespeitoso e profanador. A reportagem sensacionalista e etnocêntrica coroa o abate religioso e o candomblé no imaginário racista e cristão como religião selvagem, bárbara e sanguinária! Desde então, a perseguição às casas de candomblé ganhou ar heroico do dever civilizador de libertar essas "pobres almas" de prática tão cruel e tão pouco compatível com a modernidade higienista cristã. Tal ideia absurda, fortalecida pelo imaginário racista, justifica no imaginário do fanatismo religioso cristão o dever de lutar contra o candomblé, pois tal "barbaridade" não pode representar outra coisa que não seja o mal! Décadas se passaram e até hoje isso é vociferado em igrejas e redes sociais, além de ganhar corpo em tentativas jurídicas de proibir o abate religioso no candomblé.

Judeus e muçulmanos possuem abate religioso, mas não são demonizados por isso, o que evidencia o conteúdo racista por trás dessa perseguição à prática no candomblé. Uma informação básica negada pela mídia é o fato de o abate religioso no candomblé ser parte da alimentação tradicional das comunidades de terreiro, e não um ato sádico de tortura aos animais.

SABERES E SENTIDOS ANCESTRAIS DA SACRALIZAÇÃO ANIMAL NAS CTTRO

> [...] trata-se de fazer que a força religiosa que as sucessivas consagrações acumularam no objeto sacrificado se comunique, de um lado, com o domínio religioso e, de outro, com o domínio profano, ao qual pertence o sacrificante.

> Os dois sistemas de ritos contribuem, cada um num sentido, para estabelecer essa continuidade que nos parece ser feita essa análise, uma das características mais notáveis do sacrifício. A vítima é o intermediário pelo qual a corrente se estabelece. Graças a ela, todos os 87 seres que participam do sacrifício se unem, todas as forças que nele intervêm e se confundem. (MAUSS; HUBERT, 2005, p. 51)

Uma das bases filosóficas das CTTro se edifica na noção nagô de mercado. Aqui não se trata de uma noção de mercado capitalista, mas uma noção de mercado comum, social, recíproco e capaz de atender a todas as trocas necessárias para a manutenção da vida da e na comunidade.

Quando você compra, você é o único beneficiário. Você adquire poder, é o dono de algo, pode dizer à sociedade que é só seu. Quando você troca, ambos ganham. A compra beneficia um; a troca, a ambos. No mundo nagô, o mercado existe para servir a todos que precisam fazer suas trocas e somente será desfeito quando todos da sociedade a fizerem. Em suma, o mercado existe para a manutenção da própria sociedade. Não é a sociedade que existe para o mercado; é o mercado que existe para a comunidade.

Também nas oferendas às divindades africanas em diferentes nações de candomblé e nas demais tradições de origem africana no Brasil, a lógica é a mesma do mercado nagô, ou seja, você deve oferecer parte do que o mantém vivo, com saúde e alegria, às suas deidades. Todavia, sabemos que isso é impensável na sociedade do concreto, do apagamento de memórias ancestrais e da própria crença em algo espiritual. Na sociedade do indivíduo e da individualidade, dividir é impensável, ainda mais uma divisão com uma dimensão fora do universo concreto.

Nesse sentido, a sacralização e a imolação de animais às divindades ancestrais africanas nas CTTro seguem a lógica do mercado, ou seja, é preciso trocar. O que é oferecido tem a ver com a devolução de parte que, efetivamente, mantém o povo do axé vivo.

No centro do mercado está Exu Olojá – o senhor do mercado, divindade de toda a sorte de trocas (econômicas, sexuais, emocionais, corporais, orgânicas e inorgânicas, linguísticas e afins), dos caminhos e guardião das casas, cidades e do corpo como um ilê.

É preciso destacar que os mercadores das cidades iorubá oferecem sempre uma parte dos seus lucros a Exu, a fim de garantir que este nunca deixe de providenciar novas boas trocas, ou seja, para que a capacidade de troca nunca deixe de estar presente. Os viajantes também oferecem sacrifícios ao senhor do mercado com o objetivo de obter sua proteção durante a jornada. Quando necessário, a oferta é feita para que, do centro da encruzilhada, Exu indique o melhor caminho a ser seguido.

Imolar um animal, na cultura das CTTro, significa ofertar um animal para determinada deidade[17] africana como um modo de agradecer àqueles que mantêm o povo do axé vivo. Trata-se sobretudo de manter a conexão com um divino que está em todo espaço e em toda ação, inclusive nos gestos mais corriqueiros e aparentemente simples do cotidiano, que são igualmente sagrados.

Não há nada de profano em nossas ações cotidianas: nem no trabalho nem no ato de se alimentar nem nas festas nem no sexo. A orixalidade e a ancestralidade que nos compõem estão presentes em cada uma de nossas ações. O profano se instaura em todo ato gratuitamente nocivo e destrutivo, por meio de palavras ou ações, a si mesmo ou à comunidade. O profano para nós está no mau-caratismo. Portanto, o gesto de possibilitar a nutrição da comunidade é absolutamente sagrado.

Na verdade, a sacralização por meio do abate animal é um gesto de manutenção das relações entre as forças visíveis e invisíveis da natureza enquanto uma única comunidade. Nesse momento temos o *axé* – força vital – reforçado, restaurado, ressignificado. Temos a energia harmonizada, a vida protegida, a morte prematura afastada. A imolação é uma grande metáfora. Imola-se para agradecer às forças-consciências divinas ancestrais pela possibilidade de ter o que comer, pela manutenção da sua vida e a dos seus, pela possibilidade de existir e ser de forma íntegra. Nossos entes divinos não são nada distantes ou apartados de nós. Eles comem conosco, pois somos parte de um coletivo que atravessa dimensões. Assim, alimenta-se e imola-se para nutrir-se em todos os sentidos que o verbo *nutrir* possa atingir, física e metafisicamente.

Antes de tudo, é preciso dizer que o caminho a ser trilhado aqui não será o adotado pela maioria que acredita precisar se defender de um crime e faz essa defesa apelando para a existência de determinada prática em outras religiões, como as práticas judaicas e as próprias origens do catolicismo. "Se eles sacrificaram até o próprio filho de Deus. Se o próprio Pai permitiu que sacrificassem seu filho!", dizem os mais desesperados em busca de uma defesa desnecessária. Propõe-se um descolonizar do imaginário racista falando sobre nós, sobre nossos sentidos, nossas metáforas, nossa concepção de sagrado e comunidade.

E nós cumprimos a tradição

Èjè șoro șoro
Èjè balé kararó
Èjè ayó
Èjè balé kararó
Èjè mani o
Èjè balé kararo
Awa ni etú
Èjè balé kararo
Èjè npá o

Èjè ṣororo èjè npá o
Èjè ṣororo
Èjè npá o

Cumprimos a tradição.
O sangue cai para Òrìṣà.
O sangue cai e acalma o corpo.
Matamos para Òrìṣà e cumprimos a tradição.
É preciso cumprir a tradição para que o sangue acalme o corpo.

A simples leitura de um dos cantos sagrados entoados, para a sacralização animal, presente na maioria das práticas sagradas do povo do axé, deveria ser suficiente para a compreensão do rito dessas comunidades de origem africana.

Trata-se, como se pode vislumbrar, de cumprir a tradição com vistas a manter um corpo em equilíbrio, um corpo saudável e livre de todos os males materiais e espirituais que possam abater o indivíduo e a comunidade.

> Há um provérbio iorubá que diz que quando uma entidade espiritual não é alimentada ela morre, ela deixa de existir. Então, há uma dimensão no plano estritamente religioso, imediatamente religioso, que é a alimentação das entidades espirituais, das dimensões e manifestações do divino, e que se perfaz com o consumo do animal sacralizado por todos, inicia-

> dos e não iniciados. Os que já foram a alguma
> cerimônia de candomblé devem ter na memó-
> ria que, em certo momento, é servido alimento
> aos que desejam. (VIDA, 2007, p. 298)

O sangue animal é como a água que cai sobre a terra para irrigá-la, para esfriá-la, para fortalecê-la, para acalmar a terra seca e transformá-la de estéril a fértil. Ainda nesse sentido, é preciso reiterar que quem transforma a terra fértil em árida é a própria maldade humana e todo o caos gerado pela desordem causada pelo homem.

Estéril também é a mente daqueles que se fartam da morte de animais em uma churrascaria e acreditam que o fato de a carne estar bem temperada e ser paga "alivia" o que eles mesmos consideram impróprio – o mundo come carne (branca e vermelha) desde que o mundo é mundo e não há nada de criminoso nisso, mas, quando se reúnem negros, outras classes estigmatizadas e animais, a história é outra, os sentidos são outros –, algo que precedeu a alimentação, ou seja, a morte do animal é transformada em crime, mas o crime real é o racismo religioso que quer ressignificar negativamente, somente na cultura negra, o consumo de carne animal.

O racismo religioso é mais uma forma de permitir que eles, a branquitude acrítica e racista, não se preocupem com o modo como o animal foi morto nem por onde passou nem quais energias estiveram envolvidas em seu abate. Não sabem que a carne pode estar marcada por uma grande tensão ligada ao momento da morte do animal, mas o comem, sem hesitar.

O povo do axé sabe exatamente como fazer para evitar essa tensão negativa e beneficiar-se de uma carne plena de *força vital* com todo o respeito à vida do animal, que é elevada à posição de divindade.

Uma carne plena de axé: inicia-se a imolação

Ao contrário da carne dos animais que se comem todos os dias, a carne fruto da imolação dos animais sagrados é repleta de tradição, e o ritual de "oferta" de animais às divindades africanas é repleto de respeito à vida, de respeito à história do candomblé e de um movimento conjunto e contínuo de valorização da comunidade.

Não se trata de chegar e matar para comer ou, como devem pensar, para Òrìṣà comer. Quando não há na comunidade-terreiro uma criação de animais, eles chegam ao local sagrado, no mínimo, um dia antes do ritual.

"Os animais precisam esfriar, meu filho!", diz a Ìyálorìṣá preocupada com o que o animal possa ter arrastado consigo ao longo da viagem. "Não quero uma carne com nada que não for nosso!", exclama a mesma Ìyálorìṣá, reforçando a possibilidade de ter uma carne impregnada de coisas que não são boas à comunidade-terreiro.

Quando os animais chegam à comunidade-terreiro, uma pessoa deverá recepcioná-los e verificar se está tudo de acordo: se estão saudáveis, se não estão feridos – se estiverem, não poderão ser imolados. Os animais precisam estar totalmente sãos. Se constituem uma metáfora à vida, à saúde, à felicidade, não podem ser ofertados com dor e sofrimento.

"Não podemos nos alimentar de carnes doentes, pois os Òrìṣà podem ofender. Sabe, meu filho, eles virão de muito longe para nos ver cumprir a tradição [...]", conta a Ìyáloriṣá, revelando uma preocupação com a carne que fará parte do ritual sagrado e com o fato de poder ofender as divindades ancestrais que virão de tão longe para presenciar o cumprimento da tradição.

Os animais devem ser preparados, no mínimo, um dia antes do ritual, pois devem esfriar, livrar-se da poeira da estrada – uma alegoria às energias negativas a que esses animais possam ter sido expostos, ao passarem por encruzilhadas, em frente a hospitais, cemitérios e outras áreas da cidade.

Cada divindade possui seus animais específicos, mas normalmente são utilizados cabritos e aves que estão à mesa da sociedade brasileira. Se animal é importante, mais ainda são a fé e a palavra sagrada, que deve ser proferida para cada ação ritual relacionada à imolação. Portanto, aqui também, o tamanho e o valor dos bichos não devem ser considerados de acordo com a visão de mundo capitalista.

Muita gente, contaminada pelo capitalismo selvagem e pela vaidade, costuma acreditar que existe uma relação direta entre "troca" que se estabelecerá com o ato em si e o tamanho e a quantidade de animais, mas isso não é real. A aceitação do rito não está vinculada a esses valores. Na verdade, o que está em jogo é a fé, o respeito, o amor às divindades e o "saber" cumprir a tradição.

Para cada animal de quatro patas serão necessários outros. Um cabrito, por exemplo, deve ser acompanhado de quatro aves – um pombo, uma galinha-d'angola e dois frangos, dependendo da divindade e do tipo de rito.

Revela-se aí mais um gesto de respeito à vida do animal. Diz-se que ele precisa ser "calçado" para que possa caminhar e levar os nossos pedidos às divindades. Como se trata de um animal maior, ele precisa de um pouco mais de *força vital* para que a tradição se cumpra e para que ele cumpra sua função ritual.

São os Ìbọsè: palavra que em iorubá significa "meia" – isso mesmo, aquela com a qual aquecemos os pés –, ou seja, para cada pata, deve haver um Ìbọsè, uma meia.

O sacerdote certamente conhece as devidas combinações a serem utilizadas para cada problema, para cada *ẹbọ* (sacrifício), para cada pessoa e para cada divindade. A sintaxe – combinação – dos animais é muito importante para que o rito seja eficaz.

Antes do início do ritual, que, para cada divindade, possui horário de início específico, tudo já deve estar preparado. Assim como os animais, ninguém pode chegar da rua e participar do chamado *A ṣe orò n'pá ẹran* – nós cumprimos a tradição com a imolação da carne. Normalmente, diz-se somente "orô".

Se o rito iniciará de madrugada, todos devem chegar ao longo do dia para que livrem da poeira da estrada e esfriem o corpo. Todos devem tomar seus banhos de asseio e de *omieró* (a água que neutraliza) e iniciar os preparativos rituais.

Para a imolação de animais denominados pelo próprio povo do axé como "bichos de pena" (aves), os ritos são menos complexos, mas igualmente necessários e respeitosos; para os "bichos de quatro pés", normalmente cabritos e afins, o rito é extremamente elaborado. Embora considere, por conta da riqueza de detalhes rituais, quase impossível traduzir por meio de palavras o percurso de imolação de animais realizado pelo povo do santo, tentarei narrar a imolação de um animal de quatro pés.

No início do ritual, todos devem estar limpos, com bons pensamentos, vestindo roupas limpas e alvas; as chamadas roupas de ração[18]. Todos, de alguma maneira, participarão do ritual, mas só os iniciados hierarquicamente, com mais tempo de santo (de iniciados), presenciarão de forma efetiva a imolação do animal sagrado.

O ritual inicia-se com os cantos e as rezas que devem ser entoados para as divindades ligadas à tradição da casa. Éṣú já fora previamente agradado, por isso o animal que será ofertado à divindade pode ser arrumado.

O Ọ̀gá Aṣọ̀gún (Ogan[19] Axogun) – cargo masculino ligado à divindade do ferro (Ọ̀gún), dado ao responsável pela imolação dos animais sagrados – já está preparado e será o grande responsável pelo *orò*.

Vale destacar que o candomblé, assim como a África ancestral, preza pela manutenção de papéis rigorosamente definidos e, nesse sentido, apenas os homens podem empunhar o *obẹ́* (faca) para a imolação. Diz-se que para as mulheres é *èèwọ̀* (aquilo que é proibido, ato impedido, restrição).

Mais um sinal de respeito aos animais sagrados que serão utilizados durante o ritual é o fato de terem que ser devidamente lavados e enfeitados com panos rituais.

Após todas as rezas de abertura devidamente entoadas e a consulta à divindade por meio do *obì*, noz de cola, dá-se continuidade ao ritual. O animal é vestido com os panos sagrados e conduzido pelos ọ̀gá. O Ọ̀gá Aṣọ̀gún oferece a folha sagrada ao animal e, somente depois de ele aceitar a folha, o ritual terá continuidade. É preciso ter paciência, pois ele não pode ser pressionado, empurrado ou violentamente forçado, pois os Ọ̀rìṣà podem não aceitar a oferenda. Diz-se que a folha é a mão de Ọ̀rìṣà conduzindo o animal até Ọ̀gún, ou seja, até a faca. Nesta hora, a Ìyáloriṣá pergunta ao Ọ̀gá Aṣọ̀gún e a todos os presentes: "*Ṣé Ọ̀rìṣà ṣe orò n'pá ẹran?*" (Orixá quer que cumpramos a tradição?) Ao que todos respondem alegremente: "*Bẹ̀ẹ́ni!*" (Sim!)

E o ritual continua. O animal é trazido para o local sagrado, onde será ofertado ao Ọ̀rìṣà. Ele está limpo, bonito, enfeitado com os panos sagrados e só poderá chegar até Òrìṣà por sua própria vontade.

Ao contrário do que se pensa, não há violência, pois não deve haver tensão e não são permitidas ações que interfiram na vontade de Òrìṣà. Esta só se manifesta quando há respeito ao animal sagrado.

O animal deverá comer a folha e, após aceitá-la, deverá ser apresentado à pessoa cujo Òrìṣà o receberá. A pessoa deverá saudá-lo, prostrando-se diante dele e tocando-o com o seu *orí*, bem como com o lado direito e esquerdo do tronco. Seguindo a tradição, uma corda sagrada que faz parte do ritual deverá ser ritualmente amarrada ao animal, antes que a faca o toque.

Nesse momento, com a permissão de Ògún, Òrìṣà dono da faca, o animal será imolado. Vale ressaltar que o uso da faca deve ser preciso, e um Ògán que faz o animal sofrer não serve para Òrìṣà. Neste momento, todos estão concentrados, com pensamentos positivos e pedindo que sejam abençoados pela troca que se realiza. O éjè – sangue – do animal é aparado e devidamente conduzido pela faca aos lugares sagrados que devem recebê-lo.

Sente-se o *aṣé* passar pelo ar que circula por toda a casa de candomblé. Quando grande parte das pessoas são tomadas por Òrìṣà, é um bom sinal, o que, de acordo com o povo do santo, significa que as oferendas serão aceitas.

O animal não sofre, então, após ser colocado sobre as folhas sagradas devidamente organizadas no chão, inicia-se o sacrifício daqueles que servirão de "meias" ao bicho de quatro pés, isto é, os *ibósé*.

Os animais de penas são sacrificados e devem marcar simbolicamente o calçamento, por isso são colocados, um a um, em cada uma das patas do animal de quatro pés. Vale lembrar que, para cada ação, há uma palavra cantada e, sem essas, o ritual não pode prosseguir.

Embora a morte do animal seja rápida e sem sofrimento o processo completo é demorado. Como já foi destacado, há muitos cantos e ações sagradas, e devem ser feitas sem pressa. A única pressa do ritual está relacionada à imolação, a fim de evitar qualquer tipo de sofrimento ao animal.

Ao término do sacrifício, inicia-se a retirada das partes que constituirão o ìyanlé.

O fechamento da primeira parte do ritual: Sasányìn, o canto das folhas

O fechamento do òró será marcado pelo canto às folhas: a cerimônia de *Asasányìn* costuma acompanhar boa parte das cerimônias sagradas do candomblé, e na imolação não é diferente. "Ko si ewé, ko si Òrìsà" ("Sem folha não há Òrìsà"), diz a sabedoria do povo do santo.

As folhas curam, afastam os males e devem receber uma satisfação pela morte do animal sagrado. E mesmo o ritual de A ṣe orò n'pá ẹran precisa ser acompanhado da divindade das folhas, Osányìn. Por isso, antes dos cantos finais e do encerramento do ritual de imolação, é preciso reverenciar as folhas, reverenciar a vida, reforçar o aṣé.

"É um grande carrego, meu filho!", diz a Ìyáloriṣá, reforçando a grande responsabilidade que é imolar um animal para as divindades africanas. A ideia de "carrego", para o povo do santo, está vinculada a algo difícil de carregar, algo muito pesado, por isso é preciso ser feito com parcimônia e muita seriedade. "Só as folhas podem amenizar esse carrego", continua a Ìyáloriṣá, intensificando a necessidade de, ao fim da imolação, fazer as devidas reverências às folhas. "As folhas ajudarão Éṣú Odara[20] a levar nossas mensagens até os Òrìṣà", ensina a Ìyáloriṣá sobre a viagem que se inicia a partir do cumprimento da tradição.

Algumas tradições "cantam às folhas" antes da imolação; outras fazem esse ritual depois. Penso que a posição não é o mais importante, desde que se saiba exatamente o que se faz. Na verdade, o mais importante é cumprir a tradição. Após o rito das folhas, os Òrìṣà receberão as demais oferendas que fazem parte da tradição. Inicia-se, então, o ìyanlé.

O ìyanlé: no candomblé nada é desperdiçado

"Desperdiçar é perder aṣé.", diz a Ìyáloriṣá, advertindo o filho de santo que queria se desfazer das tripas, *ifun inú*, do animal sacrificado.

No candomblé não existe lixo, pois tudo tem vida e deve ser aproveitado. Todas as partes do animal devem ser valorizadas, pois imolamos para o sagrado, para as divindades africanas no Brasil. Sacrificamos em nome da vida.

O ìyanlé é um ritual de oferecimento às divindades das partes consideradas vitais do animal sacrificado. Para isso, o Ògá Aṣògún retira durante o orô partes específicas dos animais imolados. Além do sangue, da cabeça e das patas, outras partes dos animais são tratadas de forma especial: Èdò, o fígado; Fúkùfúkù, os pulmões; Iwe, a moela; Okán, o coração; Iwe Inú, os rins; e o ifun inú, os intestinos. Tudo será devidamente preparado com o sangue do dendezeiro (azeite de dendê) e os devidos temperos sagrados, e o delicioso prato será oferecido às divindades acompanhado de Awòn Èko, uma espécie de pamonha de milho branco também conhecido como Akassás.

É oferecida uma iguaria com as partes consideradas vitais, o que é denominado Ìyanlé. Aqui não se deve esquecer de proferir as palavras certas, pois o ritual ainda não acabou.

O Ìyanlé reforça o valor que o animal imolado adquire para o povo do santo. Além das partes chamadas de Aṣé do animal, oferece-se uma mesa com as principais comidas secas dos Òrìsà. Comidas secas são as comidas preparadas no fogo ou mesmo cruas, e são assim chamadas em oposição às comidas que emergem do sacrifício animal. Por exemplo, caso o òró fosse para Oyá, serviríamos também o Akarajé; se fosse para Ọdẹ, o Aṣoṣo; e se fosse para Ṣángò, o Omalá. "Trata-se de um grande banquete", encerra a Ìyáloriṣá, explicando ao filho sobre o Ìyanlé.

Ìpadé: o grande encontro

Como já percebemos, a imolação de um "bicho de quatro pés" é muito séria. Podemos dizer que é coisa de gente grande. Não se pode fazer a imolação sem pensar na importância do ato de cumprir a tradição e, nesse sentido, quem não a cumpre não pode se denominar pertencente a ela.

Com a força do racismo e das culturas hegemônicas, já se fala em um candomblé vegetariano, sem a imolação de animais, o que, na minha opinião, é mais uma forma de amenizar o que não é necessário, não deve e não pode ser alterado, sob pena de instaurar o caos e enganar as pessoas.

Considerando essa importância, o A ṣe orò n'pá ẹran pede outro ritual igualmente importante. Trata-se do Ìpádé, o grande encontro. Após o meio-dia, inicia-se o ritual do Ìpàdé, ou Pàdé, que, como já dissemos, remete a um grande encontro e por meio do qual são reverenciados Èṣù, os Ésà, ancestrais, os Òrìṣà, Egúngún e as Ìyámi. É uma cerimônia muito importante, por isso é presidida sempre pela própria dirigente – a Ìyá Moro, responsável pelo cumprimento da tradição dos Ògá – e conta com a presença obrigatória de todos dentro do Barracão.

Durante a celebração do Ìpadé, é importante que todos assumam uma postura humilde e respeitosa, prostrando-se quando necessário, pois nos encontramos com aqueles que são responsáveis pela nossa vida no Ayé.

Ao término do ritual, é dado o toque de Òṣóòsí, o Agèrè, com todos tomando bênçãos uns aos outros. Trata-se de um grande encontro que reúne o primogênito da humanidade, os ancestrais fundadores do candomblé no Brasil, todos os Òrìṣà, os grandes ancestrais africanos e brasileiros e o poder feminino.

Quando não houver rituais envolvendo "bichos de quatro pés", a Ìyá Mòró, com vistas a amenizar a cólera de Èṣú e pedir sua proteção, despachará a rua, apenas com uma quartinha de barro repleta de água limpa. Depois disso, estamos prontos para a grande festa pública e, no fim da festa, todos celebrarão a vida por meio do Léhìn.

O Léhìn: a comida sagrada passa pelo nosso corpo

Dependendo do tipo de sacrifício, as partes que não foram ofertadas aos Òrìṣà são preparadas para serem servidas a praticantes e visitantes, numa manifestação comunitária em que a vida é celebrada em ritual de festa e confraternização. A palavra Léhìn significa o que vem depois.

Algumas casas não consideram o repasto comunitário no dia da festa o Léhìn e não servem as carnes dos animais sagrados durante a celebração pública, apenas internamente. Nesse sentido, para essas casas, o léhìn público só se daria no Olubájé, festa a divindade das doenças – Oluayé, quando suas comidas são servidas em folhas de mamona para todos. Entretanto, de um modo ou de outro, tudo que se dá no ambiente sagrado é sagrado e, ao compartilharem comida sagrada, todos se beneficiarão do aṣé do sagrado.

Na verdade, esse é o grande objetivo do sacrifício: alimentar o visível e o invisível; matar a fome; fornecer força vital ao corpo e à alma, ao passado e ao presente. A própria palavra "sacrifício" semanticamente revela algo além de nossa compreensão, mas é preciso cumprir a tradição e harmonizar tudo o que o homem, por meio de outros sacrifícios que nada têm de sagrados, desarmoniza.

É preciso reiterar que uma cultura sagrada está a serviço da ordem, da vida, da saúde e só é necessária porque é preciso consertar tudo aquilo que o homem estraga.

DA PERSEGUIÇÃO À CURA: EPISTEMOLOGIA NEGRA COMO POSSIBILIDADE DE DESCONSTRUÇÃO DO RACISMO RELIGIOSO

Exu faz o erro virar acerto e o acerto virar erro. É numa peneira que ele transporta o azeite que compra no mercado; e o azeite não escorre dessa estranha vasilha. Ele matou um pássaro, ontem, com uma pedra que somente hoje atirou. Se ele se zanga, pisa nessa pedra e ela põe-se a sangrar. Aborrecido, ele senta-se na pele de uma formiga. Sentado, sua cabeça bate no teto; de pé, não atinge nem mesmo a altura do fogareiro. (VERGER, 2002)

A epistemologia das CTTro emerge da encruzilhada. A encruzilhada como lugar de encontros, de reencontros, de caminhos e possibilidades diversas. Para essa epistemologia preta, sem possibilidades, sem variações, sem diversidade de sentires e sentidos, não há vida, movimento nem ação. Trata-se da epistemologia cuja origem é uma história afro-brasileira polissêmica: a epistemologia de Exu.

É na encruzilhada que podemos encontrar nossas origens ancestrais, autocompreensão, restauração, morte, (re-)nascimento e continuidades. Na encruzilhada temos as múltiplas origens da vida, a mulher-útero-origem de todo ser criado, a força masculina na presença de Egungun – memória falo ancestral masculino, fogo, água, terra, ar –, além do senhor do início e responsável por todas as trocas possíveis: Exu.

Na sociedade do esquecimento, do apagamento, do esvaziamento semântico das origens, é praticamente impensável a existência de uma epistemologia que valorize tudo o que a necropolítica[21] quer negar e, em seguida, matar.

É preciso entender que, quando a expressão máxima da soberania reside, em grande medida, no poder e na capacidade de ditar quem pode viver e quem deve morrer, quando uma soberania política não pode perder os seus limites, matar ou deixar viver constituem os limites da soberania, seus atributos fundamentais. Exercitar a soberania é exercer controle sobre a mortalidade e definir a vida como a implantação e manifestação de poder (MBEMBE, 2016).

Entretanto, o que se vive hoje no Brasil extrapolou todos os limites da civilidade, da humanidade, da dignidade humana. É preciso que voltemos para o centro da encruzilhada ou viveremos angustiados por escolhas desumanizantes e mortais.

A sociedade branca fracassou; os regimes totalitários e autoritários brancos fracassaram; o cristianismo, como sistema de crenças, filosofia de vida e fonte de poder hegemônico, fracassou. Um conjunto de fracassos tem matado não só vidas pretas, como também valores civilizatórios.

Para regimes totalitários e para o biopoder, a encruzilhada preta é um péssimo lugar porque é nela que estão as origens, as diversidades, a força e o poder das trocas como lugar de (re)criações. Nesse sentido, a quem interessa o poder pelo poder é quase impossível conceber o retorno a sistemas de crenças tradicionais, a manutenção de memórias ancestrais, o poder da cabaça-útero-feminino e todas as trocas que o mercado de Exu possibilita.

O conservadorismo não suporta a diversidade da encruzilhada e a controvérsia de Exu, porque sobrevive em, por meio de e com um único caminho. Onde já se viu, na sociedade que vive da punição, da tortura e do encarceramento, se conceber a possibilidade de uma lógica exuística[22], na qual um erro possa vir a ser um acerto?

No conservadorismo não há possibilidades. Na mentalidade conservadora, as trocas e as possibilidades do mercado são temidas. Tudo o que importa é estar certo, é controlar as possibilidades de ser no mundo, é evidenciar poder por meio de certezas únicas, mesmo que essas certezas sejam a negação da vida do outro. Trata-se sempre da negação da diversidade: corpos pretos, corpos femininos, corpos dos povos originários do Brasil, corpos que rompem com um parecer/ser masculino, corpos infantis, corpos velhos, corpos homossexuais, corpos transgêneros, corpos que sentem, corpos que são, corpos visíveis, corpos que representam e traduzem neles mesmos a própria existência da encruzilhada e dos caminhos possíveis, corpos que são existências/resistências políticas. Poderá mesmo um corpo existir em negação ao que lhe fora determinado por um sistema hegemônico -padrão-conservador-controlador-prisão? Pode um corpo existir fora de uma prisão criada pelo biopoder?

Ocorre que a hegemonia deseja corpos (femininos, pretos, indígenas e LGBTQ+) marginalizados, oprimidos, reagrupados e organizados de acordo com uma normatização branca, europeia e cristã, de maneira que eles não se pensem a partir de outra origem e de outro modo de entendimento de si. O próprio reconhecimento de uma origem diferente da europeia é, por si só, uma transgressão. Uma violação ao poder branco hegemônico. Também por isso evita-se sempre a palavra "racismo", pois sua aceitação implica diretamente a aceitação de uma origem diferente da branca e a não aceitação desta origem não comum.

Ocorre que a estruturação de uma episteme preta fortaleceria, a um só tempo, valores civilizatórios tradicionais anteriores àqueles criados para segregar e dizimar o considerado diferente, o colonizado, o dominado, o eleito inferior.

Que senhores de terras e da política desejaria a reconstrução comunitária da massa trabalhadora (por três séculos quase exclusivamente negra) explorada e tão metodicamente desumanizada? Que Estado construído sob desigualdades avassaladoras deseja que os espoliados sejam reintegrados a seu Eu divino empoderador?

A perseguição e a intolerância tão marcadamente focadas nas religiões negras não se dão ao acaso. As instituições hegemônicas sabem o perigo que representam quilombos-famílias que dão instrumentos de luta, resiliência, saúde mental e espiritual ao oprimido. A demonização e o epistemicídio são formas de controle social do oprimido, que, reintegrado aos seus, à sua ancestralidade e ao seu Eu divino-natureza-ancestral, podem representar perigo iminente para a manutenção do *status quo* hegemônico. Entre os tantos perigos, o que mais afronta a intolerância tão vinculada à história das instituições cristãs é a crença de que o marginalizado tem algo a acrescentar, pois é potência divina. Ele é existência ancestral, é vida e gera vida, é criação e recriação, é desejo de diversidade e alteridade, é memória ancestral traduzida em possibilidades de ser no mundo. A episteme preta é a episteme da vida em oposição à negação da vida. Não é episteme do carrasco, daquele que sente menos medo e se sente mais seguro porque eliminou a diferença. Não se trata de uma episteme do atalho. Até porque atalho nunca é caminho completo, segundo diz a sabedoria iorubá.

Trata-se, justamente, da episteme do caminho completo, do caminho menos fácil, que valoriza a jornada e não precisa recusar o erro ou a morte como estados para reparação e continuidades. Os valores civilizatórios das CTTro voltam-se para a negação da morte como fim e do erro como passível de punição. Porque na sociedade branca não se pode morrer, mas, paradoxalmente, se pode eleger, sem peso na consciência, quem e o que deve morrer e quem pode matar.

O racismo religioso quer matar existência, eliminar crenças, apagar memórias, silenciar origens. É a existência dessas epistemologias culturais pretas que reafirmam a existência de corpos e memórias pretas. É a existência dessas epistemologias pretas que evidenciam a escravidão como crime e o processo de desumanização de memórias existenciais pretas. Aceitar a crença do outro, a cultura e a episteme de quem a sociedade branca escravizou é assumir o erro e reconhecer a humanidade daquele que esta mesma sociedade desumanizou e matou.

Isso posto, estamos em um processo de subalternização do outro. O papel da subalternização que leva ao epistemicídio e ao apagamento daquilo que a hegemonia não suporta ver vivo, humano e verdadeiro. No seio da negação de conhecimentos, saberes e culturas não assimiladas pela cultura branca/ocidental está a colonialidade do poder.

Na genealogia dos processos de subalternização, Santiago Castro-Gómez (2005), recorrendo às teorias de Edward Said (1990), evidencia o modo como o dominador europeu construiu o outro como objeto-fruto do conhecimento (Oriente) e construiu também uma imagem autocentrada do seu próprio *locus* de enunciação (Ocidente).

Said (1990) destaca que as representações, as concepções de mundo e a formação da subjetividade no interior dessas representações foram elementos fundamentais para o estabelecimento do domínio colonial do ocidente.

Em um diálogo com Aníbal Quijano (2000), pode-se afirmar que o conceito de "colonialidade do poder" diz respeito às estruturas hegemônicas de controle da subjetividade do outro. Este controle mostra que:

> A colonialidade do poder faz referência, inicialmente, a uma estrutura específica de dominação através da qual foram submetidas as populações nativas da América a partir de 1492. Aníbal Quijano, quem utilizou pela primeira vez a categoria, afirmou que os colonizadores espanhóis travaram com os colonizados ameríndios uma relação de poder fundada na superioridade étnica e epistêmica dos primeiros sobre os segundos. Não se tratava somente de submeter militarmente os indígenas e destruí-los pela força, mas sim de transformar sua alma, de fazer com que mudassem radicalmente suas formas tradicionais de conhecer o mundo e conhecer a si mesmo, adotando como próprio o universo cognitivo do colonizador. (CASTRO-GÓMEZ, 2005, p. 58)

A colonialidade do poder refere-se à dominação por meios não exclusivamente coercitivos. Não se domina apenas por meio da violência; muito pelo contrário, esta forma de dominação não se limita em reprimir fisicamente os dominados, mas também de conseguir naturalizar o imaginário europeu como única forma de relacionamento com a natureza, com o mundo social e com a própria subjetividade, ou seja, está-se diante de uma colonização epistêmica.

Todavia, Eji-ogbê – odu do corpo literário de Ifá – diz que "a verdade não tem pressa" e que ela está aí. A verdade está posta e em evidência. Há uma episteme preta que pode nos levar à cura de uma sociedade que fracassou. O que temos visto é mais que intolerância, perseguição ou racismo. Trata-se, efetivamente, de epistemicídio com vistas à atenuação dos erros de uma sociedade de um Deus perfeito e que se quer perfeita, na busca de um paraíso que só existe como negação da realidade. Mais uma das fantasias brancas que se pretende suficiente para a manutenção de um mundo perfeito, onde todos são igualmente perfeitos e iguais.

Felizmente, a lógica exuística não é branca e não se pretende hegemônica. Não é uma lógica de mão única, dogmática e de verdades absolutas. Se Exu se zanga e pisa nessa pedra, ela põe-se a sangrar. Agora a pedra está sangrando. Exu teve de pisar na pedra que foi colocada em nosso caminho. Exu aborreceu-se e, quando aborrecido, ele se senta na pele de uma formiga. A formiga não pode suportar seu peso e esta tem sido a aflição da sociedade branca. Exu sentou-se em sua pele. Ele é a controvérsia. A controvérsia, o paradoxo, o oxímoro são insuportáveis a uma sociedade que quer controlar homens e mulheres, que, ao serem manipulados, devem renunciar à sua capacidade de decidir. A encruzilhada nega a opressão e a alienação porque permite que as pessoas façam seu caminho com autonomia. Exu é aquele que deu seu grito sem mexer uma só corda vocal. Um grito estridente sem abrir a boca e agora teremos de retornar para a nossa episteme-encruzilhada-origem.

COSMOSSENTIDOS, ALTERIDADE E EXPANSÃO: A ÉTICA DO CANDOMBLÉ COMO CURA

> Se queremos moldar uma identidade social e ética distinta, devemos resistir ao apelo da assimilação cultural (geralmente a assimilação de uma cultura dominante por parte de todas as outras, que o C4[23] – Confluência Contemporânea de Culturas no Continente – traz consigo. Por outro lado, devemos nos assegurar que nossa cultura africana esteja viva e progredindo, renovando-se ao descartar práticas e ideias desgastadas, pegando o que é preciso de outras culturas para se adaptar às circunstâncias de mudança. (KAPHA-GAWANI; MALHERBE, 2002, p. 263)[24]

Certamente um entre os inúmeros motivos responsáveis pela perseguição às tradições religiosas de origem africana no Brasil tem a ver com as significativas diferenças epistêmicas entre eles (eurocentrados) e nós (afrocentrados). É importante que um paradigma afrocentrado nos devolva a nós mesmos. Nossos afrossentidos devem ser reconstituídos por meio das experiências afro-brasileiras. Não há dúvidas de que o caminho tomado deve adotar a afrocentricidade.

Só a afrocentricidade pode criar uma epistemologia capaz de romper com os obstáculos criados pelos padrões eurocêntricos. A afrocentricidade pretende assegurar o papel central do sujeito africano dentro do próprio contexto histórico africano, por conseguinte, removendo a Europa do centro da realidade africana. Deste modo, a afrocentricidade promove uma ideia revolucionária porque estuda ideias, conceitos, eventos, personalidades e processos políticos e econômicos de um ponto de vista do povo negro como sujeito, e não como objeto, baseando todo o conhecimento produzido na autêntica interrogação sobre a origem-localização. Nesse sentido, é preciso entender que a afro-centricidade não pode ser reconciliada com nenhuma filosofia hegemônica ou idealista (ASANTE, 1998).

Este é o caminho necessário para a produção de uma episteme preta a partir do somatório da afrocentricidade com os saberes tradicionais das CTTro no Brasil. É importante que tenhamos uma dialética que se dá por meio das articulações entre africano e africano. Trata-se de uma postura decolonial contra a colonialidade do poder que está posta na produção de verdades universais que devem ser aceitas independente de quanto essas verdades subalternizam tudo que se relacione à alteridade.

O primeiro ponto, e talvez o mais importante de uma epistemologia do afrossentido, tem a ver com a postura acolhedora que nasce justamente do cosmossentido[25]. A episteme preta não é excludente, não quer dizimar o outro, não quer ou não precisa invalidar a alteridade para edificar a existência de sentidos novos, diversos e diferentes.

A episteme do afrossentido está na liberdade dos sentidos e das existências, na liberdade das vivências, das experiências e do compromisso com o que se é. No cerne do afrossentido está, mais uma vez, o mercado-encruzilhada de Exu e todas as possibilidades de trocar caminhos.

Ao contrário dos sentidos produzidos pelas tradições hegemônicas com verdades únicas e absolutas, as verdades exuísticas são múltiplas e necessariamente diversas. Porque, mais uma vez, emergem do centro da encruzilhada que aponta para múltiplos caminhos nos quais estão as verdades de uma epistemologia dos afrossentidos.

Para esta episteme, ao contrário do que preconiza a episteme cristã-branca-eurocentrada, os deuses alheios não são falsos, demoníacos ou inexistentes.

Os deuses e a fé preta não têm sua existência significada pela ausência e pela destruição da alteridade. Exu dos nagô, Pambu-njila dos bantu e Legba não precisam, para existir, que sua existência seja verdade única, ou seja, a crença parte do "e", como conjunção aditiva que inclui em oposição a uma verdade dogmática do "ou" excludente e que se coloca como única alternativa a ser seguida.

Tradicionalmente, para as concepções de mundo negras transladadas para o Brasil o sagrado alheio é igualmente verdadeiro e digno, podendo inclusive ser agregado ou não, mas nunca é demonizado, achincalhado ou descreditado como fazem as crenças cristãs hegemônicas. O que se pode vislumbrar nas nações mistas de candomblé, onde Orixás (de origem iorubá), Voduns (de origem fon), Inkisis (de origem bantu) e as almas de caboclos – ancestrais originários do Brasil, pretos velhos e seres encantados – podem ser cultuados simultaneamente. Onde é possível observar que o membro de uma CCTro de candomblé, da tradição batuque, do xangô de Pernambuco e da Jurema – apenas para exemplificar – pode ser da umbanda, da tradição religiosa wicca ou de qualquer outro seguimento religioso não igualmente exclusivista e segregacionista.

A episteme preta do afrossentido não odeia a existência do outro ou do diferente. Muito pelo contrário, são estas diferentes e múltiplas existências que significam o valor da encruzilhada. O que não se agrega não precisa ser diminuído, nem suas potências espirituais precisam ser colocadas em dúvida ou até amaldiçoadas, assim como pastores e padres vêm fazendo em seus discursos, como único caminho para o convencimento dos mais vulneráveis à aceitação de uma fé única.

As comunidades de candomblé e tradições aparentadas não relativizam o poder, a agência ou a existência de Buda, Krishna, Jesus, Amaterasu, Maomé ou qualquer entidade pertencente a qualquer outra prática religiosa, ritual, fé ou cultura.

Outro sentido que nega a semântica padrão é a noção de prosperidade, saúde, felicidade e expansão pessoal. Ao contrário do padrão capitalista, não se estabelece a prosperidade "pessoal" – que nunca é somente da pessoa – por meio de comparações com o outro, porque a essência da harmonia é pessoal-coletiva; acontece no seio da própria existência e em sua relação com a família. Até porque a episteme preta é a episteme das lembranças, das memórias existenciais. A pessoa sabe quem é e aonde chegou por meio das lembranças de quem era e de quem já foi-fez. É um ser, crer-ser e saber-fazer que se constitui diacronicamente com um "eu" que se realiza em si mesmo e no seio da própria família.

Nesse sentido, a epistemologia preta importa um tempo e um fazer voltados ao próprio "eu". O tempo deve ser utilizado e centrado na produção de nossas próprias pegadas. É o caráter que interessa. Interessa à comunidade e ao afrossentido a existência de um bom caráter forjado por um "eu" que não se mede por meio do ser-fazer do outro.

A caminhada do outro é a caminhada do outro; ele e sua caminhada devem ser respeitados. Apenas a transgressão com o grupo poderá fazer com que o olhar individual e coletivo se volte para as diferenças.

A ética preta não se estabelece pela culpa, pelo medo ou pela condenação do que é religiosamente diferente. Isso é lindo, grandioso, e fala sobre uma ética que é igualmente instrumento educativo de desconstrução do racismo religioso a ser absorvido pelos padrões da branquitude e da cristandade.

Fomos "institucionalizados" por mulheres, mães pretas, classe que até hoje é considerada a mais estigmatizada em um país racista e misógino. Mulheres que tiveram a força e a sensibilidade de recriar a família preta destruída pelo tráfico. Mulheres que restituíram os nomes africanos aos seus, que tiveram seus nomes nativos roubados pela Igreja Católica. Não precisaram ler sobre conceito de identidade para ajudar no refazimento da identidade preta dos seus, pois a noção de empoderamento pessoal e coletivo pela manutenção da comunidade lhe era um saber nativo. A noção do fortalecimento pela pertença, pela renovação-vínculo com a ancestralidade, o despertar do Eu divino dos seus como forma de tentativa de sobreviver frente à violência do sistema opressor.

A epistemologia preta volta-se para a expansão, trata-se da afrocentricidade do "e" que inclui e expande. Não lhe cabe o movimento de apequenar-se diante da realidade diversa. A mulher é a origem, a cabaça-útero, a cabaça-universo-criador-ancestral. É a primeira morada de todo ser vivente no Ayê – universo da materialidade e da integração, paralelo e contínuo do Orun –, universo da espiritualidade, da ancestralidade, das forças e dos seres viventes sem materialidade física ou corpórea.

Ao contrário do padrão de grande parte das crenças ocidentais que reduz a mulher a apenas dois papéis – mãe e esposa–, para que sirva sempre aos propósitos do marido, nas CTTro, de acordo com os *itàn*[26], podem ser mulheres, mães, guerreiras, sedutoras, caçadoras, amantes, independentes, profissionais, sagradas e mães sem um marido[27]. E o sentido da palavra "mulher" não se dá por exclusão ou por hierarquização de papéis menos e mais importantes.

As CTTro estão diante de um sistema ético que desconhece o pecado. O crer não se estabelece por medo, culpa ou redenção. No mercado, todas as trocas são possíveis. Para nós, a orientação sexual nada tem a ver com caráter, pois desejo e amor entre seres humanos adultos e conscientes são veículos de produção de axé. O mesmo pode ser dito sobre identidade de gênero: em nossos cosmossentidos, cada um sabe quem é, pois quem diz quem somos não é nossa genitália, e sim Ori, nosso Eu divino-consciência-personalidade. A encruzilhada é sagrada, o corpo é sagrado, a criança é sagrada, o velho é sagrado, o erro é tão sagrado quanto o acerto, a morte é sempre simbólica e é igualmente sagrada. Para a epistemologia preta, o sagrado é um contínuo, portanto tudo é sagrado, exceto o mau-caratismo.

Tudo isso torna o candomblé "demonizável" ou, como dizem clássicos da antropologia racista, "uma religião sem ética", frente às instituições que querem regular corpos, mentes, gozo e afeto.

"Caráter[28] é destino. Destino é caráter", diz o provérbio nagô para fortalecer a importância da ética entre homens e mulheres. A ética das CTTro está no caráter. É do caráter que uma pessoa de Axé deve cuidar. O exercício do caráter leva à virtude e ao reconhecimento, em primeiro lugar, por colocar a pessoa religiosa em sintonia com o ritmo e o devir do mundo; em segundo, porque também coloca a responsabilidade de zelar pelos outros junto à tranquilidade de saber-se cuidado. Essa relação, portanto, fortalece os laços afetivos e promove a vivência em grupo como um catalisador da felicidade e da realização pessoal e coletiva.

São as escolhas que definem o caminho. Não há paraíso e lugar ideal, santificado fora do próprio "eu-corpo-memória-natureza ancestral". O "eu" é o centro da encruzilhada como ponto de partida. É preciso encontrar a própria encruzilhada e fazer a escolha do caminho que será trilhado, sempre sabendo que sempre existe a possibilidade de retornar e recomeçar. A angústia nasce de um "eu" fora da encruzilhada que se pensa incapaz de retornar ao centro e fazer novas escolhas, mas, para a episteme exuística, a nova escolha sempre é possível. A morte simbólica é necessária e, com ela, sempre haverá um renascer.

A ética preta é responsabilidade do indivíduo, sem um demônio para culpabilizar por equívocos ou falhas de caráter, mas com Orixás, Voduns e Inquices para nos relembrar de que somos, com eles, potências vivas da natureza igualmente destrutivas ou criativas! E quem dirá por fim qual natureza teremos é Ori/nosso caráter!

NOTAS

1. Adotar-se-á o termo CTTro – Comunidade Tradicional de Terreiro – como uma denominação aglutinadora de todas as práticas afro-brasileiras também chamadas Religiões de Matriz Africana ou tradições afro-brasileiras, como Umbanda, Candomblé, Xambá, Nagô-egbá, Batuque, Tambor de Mina, Jurema e aparentados. Diante da perseguição, somos todos "macumbeiros" – no sentido negativo da palavra –, por isso é preciso que nos vejamos todos como irmãos e parte de uma cultura com gênese comum.

2. O pentecostalismo é tido como um movimento de renovação que tem como ênfase a experiência direta e pessoal com Deus por meio do Batismo no Espírito Santo. O termo *pentecostal* é originado do grego πεντηκοστή (*pentekostê*, cinquenta) e descreve a festa judaica das semanas; para os cristãos, o termo significa o dia em que o Espírito Santo desceu sobre os seguidores de Jesus Cristo. O termo *pentecostalismo* inclui diferentes vertentes teológicas e organizacionais, porém, no Brasil, é comum os pentecostais se autodenominarem evangélicos (BARBOSA, 2010).

3. D. João III (1502-1557) nasceu na cidade de Lisboa em 6 de junho. Primeiro filho de D. Manuel I com a rainha D. Maria de Castela. Assumiu o trono de Portugal em 19 de dezembro de 1521, alguns dias após a morte de seu pai, e reinou durante 36 anos. Em 1525 casou-se com D. Catarina, irmã do imperador Carlos V, e faleceu em junho de 1557. Em seu reinado, procurou intensificar as atividades de política interna e ultramarina e as relações diplomáticas com os Estados europeus.

4. Diogo de Gouveia (Beja, 1471–Lisboa, 8 de dezembro de 1557), conhecido como Diogo de Gouveia, o Velho – para distingui-lo de homônimos como seu sobrinho –, foi um destacado pedagogo, teólogo, diplomata e humanista português do Renascimento. Com extenso currículo acadêmico como reitor na Universidade de Paris, esteve a serviço do rei D. Manuel I e de D. João III, a quem aconselhou na criação das capitanias hereditárias do Brasil e na vinda de missionários jesuítas liderados por Francisco Xavier. Primeiro de uma linhagem de destacados humanistas e pedagogos, era tio de André de Gouveia, António de Gouveia, Diogo de Gouveia, o Moço e Marcial de Gouveia. No contexto da Contrarreforma foi um grande defensor da escolástica e da ortodoxia católica, o que o opôs às ideias de abertura do sobrinho André de Gouveia.

5. Em 1550, os jesuítas criaram o primeiro colégio do Brasil, em Salvador (BA), sendo responsáveis, nos anos seguintes, pela fundação de inúmeras instituições de ensino nos mais variados cantos do território brasileiro. O legado jesuíta é percebido não só na educação, referência até hoje como ensino de qualidade, mas também na cultura e na ciência, entre outras áreas. É importante ressaltar ainda que os jesuítas foram fundadores das primeiras cidades brasileiras (EM COMPANHIA, 2018).

6. Singular e eclética figura de intelectual, Ernesto De Martino (1908-1965), considerado o fundador da moderna antropologia cultural italiana, foi antropólogo, historiador das religiões e folclorista. Embora

sua obra não seja ainda conhecida como deveria fora da Itália e da França, nos últimos anos ele vem recebendo uma crescente atenção crítica internacional, e vários estudiosos têm se empenhado em traduzi-la e divulgá-la nos seus próprios países. No renovado interesse que De Martino vem suscitando, grande parte da atenção focaliza suas escolhas temáticas e a abordagem teórica "eclética e criativa" de suas análises. Em sua abordagem à lamentação funerária, à magia, De Martino mostra como as práticas mágicas baseadas em sistemas mítico-rituais estão ligadas a formas de resistência dos camponeses face à miséria que impera em suas vidas, porque, embora essas práticas continuem a perpetuar sua condição de subalternidade, impedindo uma desejável tomada de consciência sociopolítica, fornecem ao indivíduo subalterno a ilusão de poderem controlar o próprio destino. São, portanto, práticas culturais que procuram organizar de forma positiva os eventos considerados negativos ou agressivos da vida e do universo. Por outro lado, tem-se sublinhado como a sua reflexão teórico-metodológica foi precursora de algumas temáticas e reflexões críticas importantes da antropologia contemporânea. Ao inaugurar no âmbito europeu uma análise dos fatos culturais nos termos de sistemas simbólicos histórica e socialmente diferenciados (as práticas simbólicas), isto é, utilizando um modelo interpretativo que privilegia as lógicas semânticas, introduziu, já nos anos 1950, a dimensão do poder e antecipou nesse sentido os modelos interpretativos pós-estruturalistas que surgiram na França a partir da convergência entre a antropologia e a sociologia, modelos que redescobriam as afinidades fundamentais entre o exercício do poder e o controle das práticas simbólicas (TABUCCHI, 2011).

7. Segundo Claude Lévi-Strauss, trata-se da imposição de valores pertencentes a um grupo hegemônico sobre outros, visando obviamente ao favorecimento daqueles que dominam – a velha lógica da sobreposição da versão dos vencedores sobre os derrotados, quer seja no campo ideológico, político, social e econômico. Poderia ser definido também como uma imposição de uma referência teórica e prática que segue o padrão da racionalidade técnica, escolhendo-se como único tipo de cultura compatível com a dita vida civilizada e declarando as outras culturas como orientações incompatíveis com o referencial adotado como padrão. Em suma, o etnocentrismo procurou reduzir as especificidades e as diferenças, tornando-as mais diferentes do que são, exorcizando os referenciais do outro para torná-los nulos e indignos de consideração, desviando o olhar em prol de uma versão dos fatos distante de uma leitura que seria realizada pelos verdadeiros envolvidos naquilo que se tornou objeto da história (LÉVI-STRAUSS, 1965).

8. Sexto rei sumério durante período controverso (1792-1750 ou 1730-1685 a.C.) e nascido em Babel, "Khammu-rabi" (pronúncia em babilônio) foi fundador do Primeiro Império Babilônico (correspondente ao atual Iraque), unificando amplamente o mundo mesopotâmico, unindo os semitas e os sumérios e levando a Babilônia ao máximo esplendor. O nome de Hammurabi permanece indissociavelmente ligado ao código jurídico tido como o mais remoto já

descoberto: o *Código de Hammurabi*. O legislador babilônico consolidou a tradição jurídica, harmonizou os costumes e estendeu o direito e a lei a todos os súditos. Seu código estabelecia regras de vida e de propriedade, apresentando leis específicas sobre situações concretas e pontuais. O texto de 281 preceitos (indo de 1 a 282, mas excluindo a cláusula 13 por superstições da época) foi reencontrado sob as ruínas da acrópole de Susa por uma delegação francesa na Pérsia e transportado para o Museu do Louvre, em Paris. Consiste em um monumento talhado em dura pedra negra e cilíndrica de diorito. O tronco de pedra possui 2,25 metros de altura, 1,60 metro de circunferência na parte superior e 1,90 metro na base. Toda a superfície dessa "Estela" cilíndrica de diorito está coberta por denso texto cuneiforme, de escrita acádica. Em um alto-relevo retrata-se a figura de "Khammu-rabi" recebendo a insígnia do reinado e da justiça de Shamash, deus dos oráculos. O código apresenta, disposta em 46 colunas de 3.600 linhas, a jurisprudência de seu tempo – um agrupamento de disposições casuísticas, de ordem civil, penal e administrativa. Mesmo havendo sido formulado há cerca de 4 mil anos, o *Código de Hammurabi* apresenta algumas primeiras tentativas de garantias dos direitos humanos.

9. "[...] encuentra su base en la división binaria naturaleza/ sociedad, descartando lo mágicoespiritual-social, la relación milenária entre mundos biofísicos, humanos y espirituales, incluyendo el de los ancestros, la que da sustento a los sistemas integrales de vida y a la humanidad misma" (WALSH, 2008, p. 138).

10. Em 1947 a obra do padre Werenfried ficou conhecida como Ostpriesterhilfe (Ajuda aos Padres do Leste). Em seguida recebeu um nome mais abrangente: Kirche in Not ("Ajuda à Igreja que Sofre", em alemão). Foi com base neste último que a obra foi traduzida em todo país onde se abriu um escritório. Dessa maneira, ao passo que se expandia, a obra também perdia a identidade internacional, pois a tradução tornava distante o nome original alemão. Até que em 2016 teve início a universalização do nome, ACN, um acrônimo do inglês "Aid to the Church in Need", que manteve o significado da missão recebida desde sua fundação: Ajuda à Igreja que Sofre.

11. O Relatório de Liberdade Religiosa no Mundo é produzido de dois em dois anos e publicado em inglês, holandês, francês, italiano, português e espanhol.

12. Com o Boko Haram (organização fundamentalista islâmica) forçado a retroceder, situação dos grupos religiosos minoritários melhorou no Nordeste da África. Contudo, a violência de militantes *fulani* na região do Cinturão Central aterrorizou cristãos. O ataque em abril de 2018 a uma igreja durante a eucaristia resultou na morte de dois sacerdotes e 17 paroquianos.

13. Para saber mais sobre a intolerância religiosa no mundo, ver o Relatório Liberdade Religiosa no Mundo (FUNDAÇÃO PONTIFÍCIA ACN, 2016) e o 2018 Report on International Religious Freedom (ESTADOS UNIDOS, 2019).

14. O Disque 100 separa (1) Umbanda, (2) Candomblé, (3) Matriz Africana, (4) Umbanda – Candomblé, (5) Umbanda – Quimbanda – Candomblé, (6) ou uma CTTro pelo nome da Casa de Axé. Aqui, considerando o uso pejorativo da denominação "macumbeiro" para todos esses grupos e aparentados, opta-se por reuni-los por meio da terminologia aglutinadora CTTro.

15. A terminologia "origens africanas" volta-se para o fato de que o continente africano não é um país único ou um continente com uma só cultura. Trata-se de um continente com 54 países e um terço do patrimônio linguístico do mundo. O continente africano possui cerca de 30 milhões de quilômetros quadrados distribuídos em 54 países. Algumas ilhas são de grande importância histórica como entrepostos comerciais ou áreas de colonização – Madeira, Canárias, Cabo Verde, São Tomé, Comores e Madagascar. É um continente subdesenvolvido econômica e socialmente, apresentando profundos contrastes: por um lado, boa extensão territorial, uma boa diversidade climática e de paisagens naturais e uma variada riqueza mineral; por outro, forte instabilidade política, graves problemas sociais e acentuada dependência externa. O continente limita-se ao Norte com o Mar Mediterrâneo, apresentando a menor distância da Europa, via Estreito de Gibraltar, entre Marrocos e Espanha; a Nordeste com o Mar Vermelho, separando-se da Ásia pelo Canal de Suez (canal artificial no Egito); a Leste com o Oceano Índico; a Oeste com o Oceano Atlântico; ao Sul pelo encontro dos oceanos Atlântico e Índico.

16. Pode-se identificar dois tipos de branquitude: a branquitude acrítica, que defende a supremacia branca e naturaliza as desigualdades raciais, que está na base de movimentos neonazistas, da Ku Klux Khan, entre outros; e a branquitude crítica, que desaprova publicamente o racismo (CARDOSO, 2011).

17. Deidade refere-se a um conjunto de forças e/ou intenções que se materializam nas/numa divindade(s). A deidade é a fonte de tudo aquilo que é divino. A deidade é característica e invariavelmente divina (criação), mas nem tudo que é divino é necessariamente deidade; ainda que esteja coordenado com a deidade e tenha a tendência de "ser/estar", em alguma fase, em unidade com a deidade – espiritual, mental e/ou pessoalmente.

18. São roupas feitas do mesmo modo que as roupas ricas, mas são utilizadas para as funções cotidianas de uma casa de Candomblé. São igualmente feitas de acordo com a tradição da casa, mas, com um pouco mais de simplicidade. Normalmente, são roupas feitas de morim.

19. Assim como no candomblé, em iorubá, há a denominação Ògá, um título que distingue uma pessoa em alguma esfera, um chefe, um líder ou um mestre.

20. Aquele que guia, mostra o caminho, vai à frente.

21. Em um jogo que convoca poderes econômicos, políticos e judiciais, a morte e a vida tornam-se objetos passivos da administração pública dos Estados. No ensaio intitulado *Necropolítica* (2016), Achille

Mbembe tenta entender as condições que operam esses dois objetos (morte e vida), para o qual o filósofo camaronês convoca um terceiro elemento que surge como fator de mediação: a liberdade. A pergunta de Mbembe (2016) é sobre o aspecto relacional entre o biopoder e as condições práticas de mortes legalizadas.

22. A dimensão exuística no candomblé pode ser traduzida por seus atravessamentos e versatilidades; é a dimensão que imputa caráter poderoso à ludicidade; brincar é linguagem e brincar é saber, saber-fazer e ser. O candomblé é uma religião, uma cultura e um cosmossentido, um afrossentido, que se relaciona à ludicidade, à fluidez e à controvérsia de Exu. O afrossentido tem em Exu seu comunicador. Comunica-se e produz saberes exuisticamente: pela dança, pelo toque musical, pela alimentação, pela festa, pelos símbolos, saberes e cheiros, pela comunhão. Exu é o início de qualquer trajetória nas CTTro, mas é também seu próprio corpo brincalhão (ANJOS, 2016).

23. O "fator C4" diz respeito à Confluência Contemporânea de Culturas no Continente. A valoração da variedade de opções de outras culturas proporciona um estímulo para descarte de sua própria cultura, de práticas, ideias e tradições que sobreviveram em sua utilidade. Significa também que o caráter distintivo de um grupo étnico particular pode ser ameaçado quando as pessoas são seduzidas por modas que estão fora de sua própria cultura.

24. Tradução livre de: "If we are to shape a distinctive social and ethnic identity, we must resist the pull towards cultural assimilation (usually the assimilation of all others by one dominant culture), that C4 brings it. On the other hand, we must ensure that our African cultures are alive and progressive, renewing themselves by discarding outworn practices and ideas, taking what they need from other cultures to adapt to changing circumstances."

25. Conceito trabalhado pela professora Oyèrónké Oyewùmí para traduzir de modo não colonizado a forma iorubá de perceber o mundo, pois o conceito branco de "cosmovisão" não consegue abranger a hierarquia dos sentidos negro-africanos de modo eficaz (OYEWÙMÍ, 1997).

26. Os *ìtàn* são histórias que mostram o caminho. Incluem mitos, biografias e histórias familiares sempre com uma lição a ser ensinada a todos da comunidade.

27. Importante destacar que não existe, de acordo com este afrossentido, "mãe solteira". Todas as mulheres são mães porque não é pré-requisito ter um homem ao seu lado para que seja considerada mãe.

28. *Ìwà* é o que caracteriza uma pessoa sob o ponto de vista ético. Para ser feliz, próspera e saudável, uma pessoa deve ter *ìwà rere* [iwà pele], pois quem tem bom caráter não entra em choque com os seres humanos nem com os poderes sobrenaturais. Esse é o mais importante dos valores morais iorubá, e a essência da vida em harmonia consiste em cultivá-lo.

REFERÊNCIAS BIBLIOGRÁFICAS

ABUMANSSUR, Edin Sued. Religião e democracia, questões à laicidade do Estado. *In* Conselho Regional de Psicologia SP. **Laicidade, religião, direitos humanos e políticas públicas**, v. 1. São Paulo: Conselho Regional de Psicologia de São Paulo, 2016, p. 17-25. (Coleção Psicologia, Laicidade e as Relações com a Religião e a Espiritualidade).

AINLAY, S. C.; BECKER, G.; COLMAN, L. M. A. Stigma reconsidered. *In* AINLAY, S. C.; BECKER, G.; COLMAN, L. M. A. (Eds.). **The Dilemma of Difference**. Nova York: Plenum, 1986.

ÁLVARES, Cláudia. Teoria pós-colonial: uma abordagem sintética. *In* MIRANDA, J. Bragança de; COELHO, E. Prado (Orgs.). **Revista de Comunicação e Linguagens** – Tendências da Cultura Contemporânea. Lisboa: Relógio de Água, 2000.

ANJOS, Juliane Olivia dos. **As joias de Oxun**: as crianças na herança ancestral afro-brasileira. 2016. Dissertação (Mestrado em Educação)–Programa de Pós-Graduação em Educação, Universidade de São Paulo, São Paulo, 2016.

APPIAH, Kwame Anthony. **Na casa de meu pai**: a África e a filosofia na cultura. Tradução de Vera Ribeiro. Rio de Janeiro: Contratempo, 1997.

ARAÚJO, Patrício Carneiro. **Entre ataques e atabaques**: intolerância religiosa e racismo nas escolas. São Paulo: Aché, 2017.

ASANTE, Molefi Kete. **The Afrocentric Idea**. Filadélfia: Temple University Press, 1998.

AZEVEDO, Fernando de. **A cultura brasileira.** Parte 3: A transmissão da cultura. São Paulo: Melhoramentos/INL, 1976.

BARBOSA, Aron Édson Nogueira Giffoni. **Aspectos do neopentecostalismo na Igreja Mundial do Poder de Deus**. 2010. 32 f. Trabalho de Conclusão de Curso (Graduação em Ciências Sociais)–Bacharelado em Sociologia, Universidade Federal de Juiz de Fora, Juiz de Fora, 2010. Disponível em: http://www.ufjf.br/graduacaocienciassociais/files/2010/11/

ASPECTOS-DO-NEOPENTECOSTALISMO-NA-IGREJA-MUNDIAL-DO-PODER-DE-DEUS-Aron-%C3%89dson-Nogueira-Giffoni-Barbosa.pdf. Acesso em: 25 out. 2019.

BLAINEY, G. **Uma breve história do cristianismo**. São Paulo: Editora Fundamento Educacional, 2012.

BOLTON, Brenda, 1983. **A reforma na Idade Média.** Lisboa: Edições 70.

BOURDIEU, P. **O poder simbólico**. Rio de Janeiro: Bertrand Brasil, 2007.

BRASIL. Constituição da República Federativa do Brasil, 1988. Disponível em: http://www.planalto.gov.br/ccivil_03/constituicao/constituicao.htm. Acesso em: 10 fev. 2019.

BRASIL. Ministério da Mulher, Família e dos Direitos Humanos. **Balanço Geral 2011 ao 1º semestre de 2019** – Discriminação Religiosa, 2019. Disque 100. Disponível em: https://www.mdh.gov.br/informacao-ao-cidadao/ouvidoria/balanco-disque-100. Acesso em: 10 nov. 2019.

BRASIL. Ministério dos Direitos Humanos (MDH). **Disque Direitos Humanos**: Relatório 2017. Balanço Ouvidoria, 2017. Disponível em: https://www.mdh.gov.br/informacao-ao-cidadao/ouvidoria/dados-disque-100/relatorio-balanco-digital.pdf. Acesso em: 10 jun. 2019.

BUZZI, Arcângelo R.; BOFF, Leonardo (Coords.). **O Código de Hammurabi** – Introdução, tradução (do original cuneiforme) e comentários de E. Bouzon. 3. ed. Petrópolis: Vozes, 1980. (Textos clássicos de pensamento humano, 4).

CARDOSO, Lourenço. O branco-objeto: o movimento negro situando a branquitude. **Instrumento**: R. Est. Pesq. Educ. Juiz de Fora, v. 13, n. 1, jan./jun. 2011.

CARVALHO, José Carlos de Paula. Etnocentrismo: inconsciente, imaginário e preconceito no universo das organizações educativas.

Interface – Comunicação, saúde, educação, Botucatu, v. 1, n. 1, p. 181-185, ago. 1997.

CASTRO-GÓMEZ, Santiago. **La poscolonialidad explicada a los niños**. Popayán: Editorial Universidad del Cauca/Instituto Pensar/Universidad Javeriana, 2005.

CÉSAIRE, Aimé. **Discours sur le colonialisme**. Paris: Éditions Présence Africaine, 1973.

COMPANHIA DE JESUS NO BRASIL. **Em Companhia** – Informativo dos Jesuítas do Brasil, edição 50, ano 5, nov.-dez. 2018. Disponível em: http://www.jesuitasbrasil.com/newportal/wp-content/uploads/2018/12/em-companhia-ed50.pdf. Acesso em: 10 fev. 2019.

CRUZ, Cíntia. Placa na Baixada diz que cidade 'pertence ao Senhor Jesus' e vira alvo de críticas. **Extra** [on-line], Rio, 6 ago. 2018. Disponível em: https://extra.globo.com/noticias/rio/placa-na-baixada-diz-que-cidade-pertence-ao-senhor-jesus-vira-alvo-de-criticas-22951395.html. Acesso em: 10 out. 2019.

DE MARTINO, Ernesto. **La Terre du remords.** Paris: Gallimard, 1966

DECUGIS, Henri. **Les Étapes du Droit** – des origines a nos jours. Vol. 2. 2ª edição. Paris: Librairie du Recueil Sirey. 1946. p.142. [Tradução livre.]

DEUS, Lucas Obalera de. **Por uma perspectiva afrorreligiosa**: estratégias de enfrentamento ao racismo religioso. Rio de Janeiro: Fundação Heinrich Böll, 2019.

DURANT, 2002

ESTADOS UNIDOS. Departamento de Estado. **International Religious Freedom Reports**, 21 jun. 2019. Disponível em: https://www.state.gov/international-religious-freedom-reports/. Acesso em: 23 set. 2019.

FANON, Frantz. **Os condenados da terra**. Rio de Janeiro: Civilização Brasileira, 1968.

FANON, Frantz. **Pele negra, máscaras brancas**. Salvador: EDUFBA, 2008.

FAUSTINO, Deivison M. Colonialismo, racismo e luta de classes: a atualidade de Frantz Fanon. **Anais do V Simpósio Internacional Lutas Sociais na América Latina** – "Revoluções nas Américas: passado, presente e futuro", 10-13 set. 2013. Disponível em: http://www.uel.br/grupo-pesquisa/gepal/v16_deivison_GI.pdf. Acesso em: 10 fev. 2018.

FAUSTINO, Deivison M. **Por que Fanon, por que agora?** Frantz Fanon e os fanonismos no Brasil. 2015. Tese (Doutorado)–Programa de Pós-Graduação em Sociologia, Centro de Ciências Humanas, Universidade Federal de São Carlos, São Carlos, 2015.

FELICIANO, Marco. Africanos descendem de ancestral amaldiçoado por Noé... **Twitter**, 30 mar. 2011.

FONSECA, Denise Pini Rosalem da; GIACOMINI, Sonia Maria (Orgs.). **Presença do axé**: mapeando terreiros no Rio de Janeiro. Rio de Janeiro: Editora PUC-Rio/Pallas, 2013.

GOFFMAN, E. **Estigma**: notas sobre a manipulação da identidade deteriorada. Tradução de Márcia Bandeira de Mello Leite Nunes. Rio de Janeiro: LTC, 2013.

GOMES, Eunice Simões Lins; CAMPOS, Eline de Oliveira; AMORIM, Josefa Vênus de. Ensino religioso, intolerância e direitos humanos no Brasil. *In* **Congresso Internacional da AFIRSE** (Associação Francófona Internacional de Pesquisa Científica em Educação) – V Colóquio Nacional. João Pessoa: Editora Universitária – UFPB, 2009, p. 230-241.

GONZALEZ, Lélia. A categoria político-cultural de amefricanidade. **Tempo Brasileiro**, Rio de Janeiro, v. 92, n. 93, p. 69-82, jan./jun. 1988.

GONZALEZ, Lélia. Racismo e sexismo na cultura brasileira. *In* SILVA, L. A. M. *et al.* **Movimentos sociais urbanos, minorias étnicas e outros estudos**. Brasília, ANPOCS – Portal das Ciências Sociais Brasileiras, n. 2, p. 223-244, 1983. (Série Ciências Sociais Hoje, 2).

GUIMARÃES, Marcelo Rezende, **Um novo mundo é possível**. São Leopoldo: Ed. Sinodal, 2004.

HALL, Stuart. The After-Life of Frantz Fanon: Why Fanon? Why Now? Why Black Skin, White Masks? *In* READ, Alan (Ed.). **The Fact of Blackness**: Frantz Fanon and Visual Representation. Londres: Institute of Contemporary Arts and International Visual Arts, 1996, p. 12-37.

HERCULANO, Alexandre. **História da origem e estabelecimento da inquisição em Portugal.** Lisboa: Bertrand, 1950.

INSTITUTO BRASILEIRO DE GEOGRAFIA E ESTATÍSTICA (IBGE). **Censo 2010**. Disponível em: https://censo2010.ibge.gov.br/. Acesso em: 10 out. 2019.

KAPHAGAWANI, Didier N.; MALHERBE, Jeanette G. Epistemology and the Tradition in Africa. *In* COETZEE, Peter H.; ROUX, Abraham P. J. (Eds.). **The African Philosophy Reader**. 2. ed. Nova York: Routledge, 2002, p. 259-320.

LEITE, Serafim. **Suma história da Companhia de Jesus no Brasil** (assistência de Portugal): 1549-1760. Lisboa: Junta de Investigação Ultramar, 1965.

LEITE, Serafim (Org.). **Cartas do Brasil e mais escritos do padre Manuel da Nóbrega** (*Opera omnia*). Prefácio e notas introdutórias de Serafim Leite. Coimbra: Universidade de Coimbra, 1955.

LÉVI-STRAUSS, Claude. **Tristes tropiques**. Paris: UGE, 1965.

LIBERDADE RELIGIOSA NO MUNDO – Sumário Executivo 2016. **Fundação Pontifícia ACN**, 2016. Disponível em: https://www.acn.org.br/wp-content/uploads/attachments/SumarioExecutivo.pdf. Acesso em: 10 jun. 2019.

LIBERDADE RELIGIOSA NO MUNDO – Sumário Executivo 2018. **Fundação Pontifícia ACN**, 2018, 14. ed. Disponível em: https://www.acn.org.br/wp-content/uploads/2018/11/ACN-Relatorio-Liberdade-Religiosa-2018-Sumario-Executivo.pdf. Acesso em: 10 jun. 2019.

LOURENÇO, M. S. **A presença dos antigos em tempos de conversão:** etnografia dos Kaingang do Oeste Paulista. Dissertação de Mestrado, Antropologia Social, Universidade Federal de São Carlos, 2011.

MACEDO, Edir. **Orixás, caboclos e guias**: deuses ou demônios? 15. ed. Rio de Janeiro, Universal Produções, 2002.

MACEDO, Edir. **Orixás, caboclos e guias**: deuses ou demônios? São Paulo: Universal Produções, 1988, p. 5.

MARIANO, Ricardo. **Análise sociológica do crescimento pentecostal no Brasil**. 2001. Tese (Doutorado). Programa de Pós-Graduação em Sociologia, Universidade de São Paulo, São Paulo, 2001.

MAUSS, M.; HUBERT, H. **Sobre o sacrifício**. São Paulo: Cosac Naify, 2005.

MBEMBE, Achille. Necropolítica. **Arte & Ensaios** – Revista do Programa de Pós-Graduação em Artes Visuais, Escola de Belas-Artes, Universidade Federal do Rio de Janeiro, n. 32, dez. 2016.

MENDES, Norma Musco; OTERO, Uiara Bastos. Religiões e as questões de cultura, identidade e poder no Império Romano. **PHOÎNIX**, Universidade Federal do Rio de Janeiro, v. 11, p. 196-220, 2005.

MOORE, Carlos. **Racismo e sociedade**: novas bases epistemológicas para entender o racismo. Belo Horizonte: Mazza Edições, 2007.

MUNIZ SODRÉ. Purificação. **Literafro** – *O portal da literatura afro-brasileira*, 30 jan. 2018. *Disponível em:* http://www.letras.ufmg.br/literafro/autores/11-textos-dos-autores/834-muniz-sodre-purificacao. Acesso em: 10 out. 2019. (MUNIZ SODRÉ.

Purificação. *In* MUNIZ SODRÉ. **A lei do santo**. Rio de Janeiro: Bluhm, 2000.)

OYEWÙMÍ, Oyèrónké. **The Invention of Women**: Making an African Sense of Western Gender Discourses. Minneapolis: University of Minnesota, 1997.

PASSOS, João Décio. **Ensino religioso**: construção de uma proposta. São Paulo: Paulinas, 2007.

PIRES, T.; MORETTI, G. A. Escola, lugar do desrespeito. Intolerância contra religiões de matrizes africanas e escolas públicas brasileiras. *In* XXVIII CONGRESSO NACIONAL DO CONPEDI GOIÂNIA – GO. **Direitos humanos e efetividade**: fundamentação e processos participativos. Florianópolis: Conselho Nacional de Pesquisa e Pós-Graduação em Direito, 2016, p. 375-394.

PONTIFEX, John. 'The suicide bomber saved by Our Lady'. **Catholic Herald**, 8 mar. 2018. Disponível em: https://catholicherald.co.uk/the-suicide-bomber-saved-by-our-lady/. Acesso em: 10 fev. 2019.

QUIJANO, Anibal. Colonialidade do poder, eurocentrismo e América Latina. *In* LANDER, Edgardo (Comp.). **A colonialidade do saber**: eurocentrismo e ciências sociais. Perspectivas Latinoamericanas, Consejo Latinoamericano de Ciências Sociais (CLACSO), Buenos Aires, 2000. p. 246

QUINALHA, Renan. Contra a mera "tolerância" das diferenças. **Cult**, 24 fev. 2016. Disponível em: https://revistacult.uol.com.br/home/contra-mera-tolerancia-das-diferencas/. Acesso em: 10 nov. 2018.

RAYMUNDO, Gislene Miotto Catolino. **Os princípios da modernidade nas práticas educativas dos jesuítas**. 1998. 143 f. Dissertação (Mestrado em Fundamentos da Educação)–Programa de Pós-Graduação em Educação, Universidade Estadual de Maringá, Maringá, 1998.

REDE DE PASTORES DE MAUÁ. **Facebook**, 2016. Disponível em: https://www.facebook.com/pg/rededepastoresdemaua/posts/. Acesso em: 10 out. 2019.

REIS, João José. Bahia de todas as Áfricas. **Revista de História da Biblioteca Nacional**, Rio de Janeiro, ano 1, n. 6, p. 24-30, 2005.

RIBEIRO, Maria Luisa Santos. **História da educação brasileira:** a organização escolar. 15. ed. Campinas: Autores Associados, 1998.

RIBEIRO, Wesley dos Santos. **Intolerância religiosa e violência, frente às práticas religiosas no Brasil, no século XXI**. 2016. 192 f. Dissertação (Mestrado em Ciências da Religião)–Programa de Pós-Graduação *Stricto Sensu* em Ciências da Religião, Pontifícia Universidade Católica de Goiás, Goiânia, 2016.

RUFINO, Luiz. **Exu e a Pedagogia das Encruzilhadas**. 2017. 231 f. Tese (Doutorado)–Programa de Pós-Graduação em Educação, Universidade do Estado do Rio de Janeiro, Rio de Janeiro, 2017.

SAID, Edward W. **Orientalismo**: o Oriente como invenção do Ocidente. Tradução de Tomás Rosa Bueno. São Paulo: Companhia das Letras, 1990.

SANTOS, B. S.; MENESES, M. P.; NUNES, J. A. Introdução – Para ampliar o cânone da Ciência: a diversidade epistemológica do mundo. *In* SANTOS, B. S. (Org.). **Semear outras soluções**: os caminhos da biodiversidade e dos conhecimentos rivais. Porto: Edições Afrontamentos, 2004, p. 23-101.

SHIGUNOV NETO, Alexandre; MACIEL, Lizete Shizue Bomura. O ensino jesuítico no período colonial brasileiro: algumas discussões. **Educar**, Curitiba, n. 31, p. 169-189, 2008, Editora UFPR.

SILVA, Arlindo; MEDEIROS, José. As noivas dos deuses sanguinários. **O Cruzeiro**, 15 set. 1951, edição 48, p. 12-26; 45. Hemeroteca Digital Brasileira, Biblioteca Nacional Digital. Disponível em: http://memoria.bn.br/DocReader/docreader.aspx?bib=003581&pasta=ano%20195&pesq=%22As%20

noivas%20dos%20deuses%20sanguin%C3%A1rios%22. Acesso em:10 out. 2019.

INTOLERÂNCIA E DEMONIZAÇÃO DAS PRÁTICAS RELIGIOSAS AFROBRASILEIRAS NA CIDADE DE PETROLINA/PE NOS ANOS 40 E 70. Disponível em < http://eeh2012.anpuh-rs.org.br/resources/anais/35/1397347522_ARQUIVO_INTOLERANCIAEDEMONIZACAODASPRAT ICASRELIGIOSASAFRO-BRASILEIRASNACIDADEDEPE TROLINANOSANOS40E70.pdf>. Acesso em 10 de dez. 2020.

SILVA, Vagner Gonçalves da (Org.). **Intolerância religiosa**: o impacto do neopentecostalismo no campo religioso afro-brasileiro. São Paulo: Edusp, 2007.

SILVA JÚNIOR, Hédio. A intolerância religiosa e os meandros da lei. *In* NASCIMENTO, E. **Guerreiras da natureza**. São Paulo: Selo Negro, 2008.

SORIANO, Aldir Guedes. **Liberdade religiosa no Direito Constitucional e Internacional**. São Paulo: Editora Juarez de Oliveira, 2002.

TABUCCHI, Teresa Marina de Lancastre. **Ernesto de Martino**: uma visão particular da cultura popular. 2011. Dissertação (Mestrado em Antropologia)–Programa de Pós-Graduação em Antropologia, Faculdade de Ciências Sociais e Humanas, Universidade Nova de Lisboa, Lisboa, 2011. Disponível em: http://hdl.handle.net/10362/7197. Acesso em: 10 out. 2009.

VERGER, Pierre Fatumbi. **Orixás deuses iorubás na África e no Novo Mundo.** Salvador: Corrupio, 2002.

VIDA, S. S. Sacrifício animal em rituais religiosos: liberdade de culto versus direito animal. **Revista Brasileira de Direito Animal**, v. 2, n. 2, p. 289-305, 2007.

WALSH, Catherine. Interculturalidad, plurinacionalidad y decolonialidad: las insurgencias politico-epistemicas de refundar el estado. **Revista Tabula Rasa**, Bogotá, v. 8, p.131-152, jul.-dic. 2008.

Impresso em julho de 2020 na Edições Loyola, nas fontes Calisto MT e Bebas Neue, em Pólen Soft 80g no miolo e Ningbo 250g na capa.